A QUEDA

ALBERT CAMUS
A QUEDA

tradução de
VALERIE RUMJANEK

30ª edição

EDITORA RECORD
RIO DE JANEIRO • SÃO PAULO
2024

EDITORA EXECUTIVA
Renata Pettengill

SUBGERENTE EDITORIAL
Mariana Ferreira

ASSISTENTE EDITORIAL
Pedro de Lima

AUXILIAR EDITORIAL
Juliana Brandt

PROJETO GRÁFICO DE BOXE E CAPAS
Leonardo Iaccarino

DIAGRAMAÇÃO
Beatriz Carvalho

TÍTULO ORIGINAL
La chute

IMAGEM DE CAPA
Roc Canals / Getty Images

CIP-BRASIL. CATALOGAÇÃO NA PUBLICAÇÃO
SINDICATO NACIONAL DOS EDITORES DE LIVROS, RJ

C218q

Camus, Albert, 1913-1960
 A queda / Albert Camus; tradução de Valerie Rumjanek. – 30ª ed. –
30ª ed. Rio de Janeiro: Record, 2024.

 Tradução de: La chute
 ISBN 978-65-55-87126-5

 1. Ficção francesa. I. Rumjanek, Valerie. II. Título.

20-65697

CDD: 843
CDU: 82-3(44)

Leandra Felix da Cruz Candido – Bibliotecária – CRB-7/6135

Copyright © Editions Gallimard, Paris, 1956

Texto revisado segundo o novo Acordo Ortográfico da Língua Portuguesa.

Todos os direitos reservados. Proibida a reprodução, no todo ou em parte, através de quaisquer meios. Os direitos morais do autor foram assegurados.

Direitos exclusivos de publicação em língua portuguesa somente para o Brasil adquiridos pela
EDITORA RECORD LTDA.
Rua Argentina, 171 – Rio de Janeiro, RJ – 20921-380 – Tel.: (21) 2585-2000, que se reserva a propriedade literária desta tradução.

Impresso no Brasil

ISBN 978-65-55-87126-5

Seja um leitor preferencial Record.
Cadastre-se no site www.record.com.br e
receba informações sobre nossos lançamentos
e nossas promoções.

Atendimento e venda direta ao leitor:
sac@record.com.br

Meu senhor, posso oferecer-lhe meus préstimos, sem correr o risco de ser inoportuno? Receio que não se consiga fazer entender pelo amável gorila que preside os destinos deste estabelecimento. Na verdade, ele só fala holandês. A não ser que me autorize a defender sua causa, ele não adivinhará que está pedindo genebra. Olhe, ouso pretender que me tenha compreendido: este aceno deve significar que ele se rende aos meus argumentos. De fato, lá vai ele, apressa-se com uma sábia lentidão. O senhor está com sorte — ele nem resmungou. Quando se recusa a servir alguém, basta-lhe um grunhido: ninguém insiste. Ser senhor de seu próprio estado de espírito é privilégio dos grandes animais. Mas eu me retiro, meu caro senhor, feliz por ter-lhe prestado um serviço. Sou-lhe muito grato e aceitaria, com todo prazer, se estivesse certo de não bancar o intrometido. É muita bondade sua. Então, vou colocar meu copo junto ao seu.

Tem toda razão, o mutismo dele é ensurdecedor. É o silêncio das florestas primitivas, tão pesado que sufoca. Às vezes, me surpreendo com o obstinado desdém que o nosso taciturno amigo demonstra pelas línguas civilizadas. Seu trabalho é atender a marinheiros de todas as nacionalidades neste bar de Amsterdã, a que deu o nome, ninguém sabe bem por que, de Mexico-City. Não acha, meu caro senhor, que esses deveres levem sua ignorância a se tornar incômoda? Imagine o homem de Cro-Magnon hospedado na Torre de Babel! No mínimo, sofreria uma sensação de desterro. Mas não, este não sente o exílio, segue seu caminho, nada lhe atrapalha. Uma das raras frases que ouvi de sua boca proclamava que era "pegar ou largar". Pegar ou largar o quê? Sem dúvida, ele próprio, o nosso amigo. Vou fazer-lhe uma confidência: sinto atração por essas criaturas graníticas. Quando se pensou muito sobre o homem, por trabalho ou vocação, às vezes sente-se nostalgia dos primatas. Estes não têm outros pensamentos.

Nosso anfitrião, na realidade, tem algumas ideias, se bem que as alimente de modo obscuro. De tanto não compreender o que se diz na sua presença, assumiu um caráter desconfiado. Daí esse ar de sombria gravidade, como se suspeitasse ao menos que há algo de errado entre os homens. Este estado de espírito torna mais difíceis as discussões que não dizem respeito ao seu trabalho. Veja, por exemplo, acima de sua cabeça, naquela parede do fundo, esse retângulo vazio que marca o lugar de um quadro retirado. Com efeito, lá havia um quadro particularmente interessante, uma verdadeira obra-prima. Pois bem, eu estava presente quando o nosso mestre de cerimônias o recebeu e quando ele o cedeu. Nas duas ocasiões, teve a mesma desconfiança, depois de passar semanas ruminando. Quanto a isto, é preciso reconhecer — a sociedade arranhou-lhe um pouco a franca simplicidade de temperamento.

Note bem que eu não o estou julgando. Acho que sua desconfiança tem fundamento e dela compartilharia de bom gosto se, como o senhor está vendo, meu temperamento comunicativo não impedisse. É, mas pobre de mim, sou muito loquaz — e me relaciono facilmente. Embora eu saiba manter as distâncias convenientes, todas as ocasiões me são propícias. Quando eu vivia na França, não podia encontrar um homem de espírito sem que logo fizesse amizade. Ah, vejo que implica com esse imperfeito do subjuntivo.* Confesso minha fraqueza por esse tempo verbal e pelo belo linguajar em geral. Mas, pode acreditar — é uma fraqueza da qual me recrimino. Bem sei que o gosto pela fina roupa branca não pressupõe obrigatoriamente que se tenham os pés sujos. Ainda assim. O estilo, como a popeline, dissimula muitas vezes o eczema. Consolo-me dizendo a mim mesmo, que, afinal, aqueles que falam de maneira ininteligível também não são puros. Bem, mas voltemos à nossa genebra.

Vai ficar muito tempo em Amsterdã? Bela cidade, não é? Fascinante? Eis um adjetivo que não ouço há muito tempo. Justamente desde que saí de Paris, já faz muitos anos. Mas o coração tem sua memória e eu nada esqueci da nossa bela capital, nem dos seus cais. Paris é uma verdadeira ilusão de ótica, um magnífico cenário habitado por quatro milhões de silhuetas. Ou quase cinco milhões, segundo o último recenseamento? Bem, eles devem ter feito filhos. Não me surpreenderia.

---

* O imperfeito do subjuntivo empregado pelo autor no original francês é de uso literário, raro e pedante na linguagem coloquial. (*N. da T.*)

Sempre me pareceu que nossos concidadãos tinham duas paixões desenfreadas; as ideias e a fornicação. A torto e a direito, por assim dizer. Aliás, procuremos não condená-los: não são os únicos, é o mesmo em toda a Europa. Às vezes imagino o que dirão de nós os futuros historiadores. Uma só frase lhe bastará para definir o homem moderno: fornicava e lia jornais. Depois dessa forte definição, o assunto ficará, se assim posso me expressar, esgotado.

Os holandeses — ah, não, estes são muito menos modernos! Têm todo o tempo — olhe só para eles. Que fazem? Pois bem, estes senhores vivem do trabalho daquelas senhoras. Aliás, tanto os machos quanto as fêmeas são criaturas extremamente burguesas, que aqui vêm, como de costume, por mitomania ou burrice. Em resumo: por excesso ou falta de imaginação. De vez em quando, estes senhores brincam de faca ou de revólver, mas não acredite que se empenhem muito. O papel o exige — nada mais — e eles morrem de medo ao disparar os últimos cartuchos. Dito isto, acho que são mais morais do que os outros, os que matam em família, pelo desgaste. Nunca observou, caro senhor, que nossa sociedade se organizou para este tipo de liquidação? Naturalmente, deve ter ouvido falar dos minúsculos peixes dos rios brasileiros que se atiram aos milhares sobre o nadador imprudente, e limpam-no, em alguns instantes, com pequenas mordidas rápidas, deixando apenas um esqueleto imaculado? Pois bem, é esta a organização deles. "Quer ter uma vida limpa? Como todo mundo?" É claro que a resposta é sim. Como dizer não? "Está bem. Pois vamos limpá-lo. Pegue aí um emprego, uma família, férias organizadas." E os pequenos dentes cravam-se na carne até os ossos. Mas estou sendo injusto. Não se deve dizer que a organização é deles. Ela é nossa, afinal de contas: é o caso de saber quem vai limpar o outro.

Finalmente, trazem a nossa genebra. À sua prosperidade. Sim, o gorila abriu a boca para chamar-me de doutor. Nesta terra, todo mundo é doutor ou professor. Gostam de mostrar-se respeitosos, por bondade e por modéstia. Entre eles, pelo menos, a maldade não é uma instituição nacional. Além disso, não sou médico. Se quer mesmo saber, eu era advogado antes de vir para cá. Agora, sou juiz-penitente.

Mas permita que me apresente: Jean-Baptiste Clamence, seu criado. É um prazer conhecê-lo. Sem dúvida, deve ser homem de negócios, não é? Mais ou menos? Excelente resposta! E também judiciosa: estamos apenas mais ou menos em todas as coisas. Vejamos, deixe-me bancar o detetive. Tem mais ou menos a minha idade, o olhar esclarecido dos quarentões que já fizeram de tudo um pouco. Está mais ou menos bem-vestido, quer dizer, como as pessoas se trajam em nosso país, e tem as mãos finas. Portanto, mais ou menos um burguês! Mas um burguês requintado! Implicar com os imperfeitos do subjuntivo, na realidade, prova duas vezes a sua cultura: em primeiro lugar, porque os reconhece, e porque, a seguir, eles o irritam. Enfim, eu o divirto, o que, sem vaidade de minha parte, pressupõe no senhor uma certa abertura de espírito. O senhor é, portanto, mais ou menos... Mas que importa? As profissões me interessam menos do que as seitas. Permita-me que lhe faça duas perguntas, e só me responda se não as julgar indiscretas. O senhor possui bens? Alguns? Bom. Repartiu-os com os pobres? Não. É, portanto, o que eu chamo um saduceu. Se não tem familiaridade com as Escrituras, reconheço que não lhe adiantará muito. Adianta? Então, conhece as Escrituras? Decididamente, o senhor me interessa.

Quanto a mim... Bem, julgue por si mesmo. Pela estatura, pelos ombros e por este rosto que tantas vezes me disseram ser feroz, eu teria mais o aspecto de um jogador de rúgbi que outra coisa, não é? Mas, a julgar pela conversa, é preciso conceder-me um pouco de refinamento. O camelo que forneceu a pele do meu sobretudo sofria, sem dúvida, de sarna; em compensação, tenho as unhas tratadas. Eu também sou esclarecido e, no entanto, estou me abrindo ao senhor sem precauções, baseado unicamente na sua aparência. Enfim, apesar das minhas boas maneiras e de meu belo linguajar, sou um frequentador assíduo dos bares de marinheiros do Zeedijk. Mas chega, não procure mais. Meu trabalho é duplo — eis tudo — como a criatura. Já lhe disse, sou juiz-penitente. A única coisa simples no meu caso é que nada tenho. Sim, fui rico; não, nada reparti com os outros. O que prova isso? Que eu também era um saduceu... Ah! Está ouvindo as sereias do porto? Esta noite vai haver neblina sobre o Zuyderzee.

Já vai embora? Desculpe-me se talvez o atrasei. Se me permite, não pagará nada. Está em minha casa no Mexico-City e tive imenso prazer em recebê-lo. Amanhã, certamente estarei aqui, como nas outras noites, e aceitarei, muito grato, o seu convite. O seu caminho... Bem... Mas, se não vê nenhum inconveniente, seria mais simples acompanhá-lo até o porto. De lá, contornando o bairro judeu, encontrará as belas avenidas, onde desfilam os bondes carregados de flores e de números tonitruantes. O seu hotel certamente fica em uma destas avenidas, no Damrak. Tenha a bondade, primeiro o senhor. Quanto a mim, moro no bairro judeu, ou no que era assim chamado até o momento em que nossos irmãos hitlerianos abriram espaço. Que limpeza! Setenta e cinco mil judeus deportados ou assassinados, é a limpeza pelo vácuo. Admiro esta aplicação, esta paciência metódica! Quando não se tem caráter é preciso mesmo valer-se de um método. Nesse caso, ele fez milagres, sem dúvida alguma, e eu moro no local de um dos maiores crimes da história. Talvez seja isto que me ajude a compreender o gorila e sua desconfiança. Posso lutar, assim, contra esta tendência de temperamento que me inclina de modo irresistível à simpatia. Quando vejo uma cara nova, alguém dentro de mim dá o alarme. "Devagar. Perigo!" Mesmo quando é a maior simpatia, fico prevenido.

Sabe que na minha pequena aldeia, durante uma ação de represália, um oficial alemão pediu delicadamente a uma velhinha para fazer a gentileza de escolher entre os seus dois filhos o que seria fuzilado? Escolher, já imaginou? Aquele? Não, este aqui. E vê-lo partir. Não insistamos nisto, mas creia-me, caro senhor, todas as surpresas são possíveis. Conheci um coração puro que recusava a desconfiança. Era pacifista, libertário e amava com um único amor abrangente toda a humanidade e os animais. Sim, uma alma de elite, com toda a certeza. Pois bem, durante as últimas guerras religiosas, na Europa, retirou-se para o campo. Escreveu na entrada de casa: "De onde quer que venha, entre e seja bem-vindo." Quem, segundo o senhor, respondeu a este belo convite? Os milicianos, que entraram como se a casa fosse deles e o estriparam.

Oh, perdão, madame! Aliás, ela nada compreendeu. Toda essa gente, hem, e apesar da chuva que não para há dias! Felizmente, existe a genebra, a única claridade nestas trevas. O senhor sente a luz dourada, metálica, que ela lhe instila? Gosto de caminhar pela cidade, à noite, ao calor da genebra. Caminho noites inteiras e sonho, ou falo sozinho interminavelmente. Como nesta noite, sim, e receio atordoá-lo um pouco, obrigado, o senhor é muito gentil. Mas é um transbordar: basta eu abrir a boca para as frases extravasarem. Aliás, este país me inspira. Amo este povo que fervilha nas ruas, espremido num pequeno espaço de casas e de águas, encurralado pelas brumas, pelas terras frias, e pelo mar fumegante como um caldeirão. Eu o amo, porque ele é duplo. Está aqui e em outro lugar qualquer.

Mas sim, pelo ruído de seus passos largos sobre a pavimentação gordurosa, vendo-os passar pesadamente entre as suas lojas, cheias de arenques dourados e de joias cor de folhas mortas, acredita, sem dúvida, que estão aí nesta noite? O senhor é como todo mundo, toma essa boa gente por uma tribo de síndicos e de mercadores, contando seus florins ao mesmo tempo que contam suas possibilidades de vida eterna, e cujo único lirismo consiste em ter lições de anatomia, às vezes, cobertos de grandes chapéus? O senhor se engana. É bem verdade que caminham junto de nós, no entanto, veja onde se encontram suas cabeças: nesta bruma de neon, de genebra e de menta, que desce das tabuletas vermelhas e verdes. A Holanda é um sonho, meu caro senhor. De dia, um sonho de ouro e de fumaça, mais enfumaçado de dia, mais dourado à noite, e dia e noite este sonho é povoado de Lohengrins como estes, deslizando sonhadores sobre suas negras bicicletas de guidons altos, cisnes fúnebres que giram sem parar em todo o país, em torno dos mares, ao longo dos canais. Eles sonham, com a cabeça nas nuvens de cobre, andam em círculos, rezam, sonâmbulos, no incenso dourado da bruma, estão ausentes. Partiram para milhares de quilômetros de distância, rumo a Java, a ilha longínqua. Rezam a esses deuses da Indonésia, com ar de máscaras, com que guarneceram todas as suas vitrines e que vagueiam neste momento, acima de nós, antes de se agarrarem como macacos suntuosos às tabuletas e aos telhados em degraus, para relembrar a estes colonos nostálgicos que a Holanda não é apenas a Europa dos mercadores, mas também o mar, o mar que leva a Cipango e a essas ilhas onde os homens morrem loucos e felizes.

Mas eu me deixo levar, como no fórum! Desculpe. O hábito, meu caro senhor, a vocação, e também o desejo que tenho de lhe fazer compreender bem esta cidade, o âmago das coisas! Porque nós estamos no âmago das coisas. Já reparou que os canais concêntricos de Amsterdã se parecem com os círculos do inferno? O inferno burguês, naturalmente, povoado de maus sonhos. Quando se chega do exterior, à medida que se passa por estes círculos, a vida e, portanto, os seus crimes tornam-se mais espessos, mais obscuros. Aqui, estamos no último círculo. O círculo dos... Ah! Sabe disso? Que diabo, o senhor se torna cada vez mais difícil de classificar. Mas compreende, então, por que posso dizer que o fundo das coisas está aqui, se bem que nos encontremos na extremidade do continente? Um homem sensível compreenderá estas esquisitices. Em todo caso, os leitores dos jornais e os fornicadores não podem ir mais longe. Chegam de todos os cantos da Europa e param à volta do mar interior, sobre a margem arenosa e incolor. Escutam as sereias, buscam em vão as silhuetas dos barcos na bruma, depois tornam a atravessar os canais e vão-se embora sob a chuva. Transidos, vêm pedir genebra, em todas as línguas, no Mexico-City. Lá, espero por eles.

Até amanhã então, meu caro senhor e compatriota. Não, agora encontrará facilmente o caminho. Deixo-o perto desta ponte. À noite, nunca passo numa ponte. É consequência de uma promessa. Suponha, enfim, que alguém se atire à água. De duas uma, ou o senhor o segue, para retirá-lo e no tempo de frio arrisca-se ao pior, ou o abandona, e os mergulhos retidos deixam, às vezes, estranhas cãibras. Boa noite! Como? Estas mulheres, por detrás das vitrines? O sonho, meu caro senhor, o sonho a baixo custo, a viagem às Índias! Estas pessoas perfumando-se com especiarias. Entra-se, elas fecham as cortinas e a navegação começa. Os deuses descem sobre os corpos nus e as ilhas vão à deriva, dementes, encimadas por uma cabeleira desgrenhada de palmeiras ao vento. Experimente.

Que é um juiz-penitente? Ah, deixei-o intrigado com esta história! Não coloquei nisso malícia alguma, acredite, e posso explicar-me com mais clareza. De certa forma, isso faz mesmo parte das minhas funções. Mas, em primeiro lugar, é necessário expor-lhe um determinado número de fatos que o ajudarão a compreender melhor a minha narrativa.

Há alguns anos, eu era advogado em Paris, e, juro, um advogado bastante conhecido. É claro, não lhe disse o meu verdadeiro nome. Eu tinha uma especialidade: as causas nobres. A viúva e o órfão, como se diz, não sei por que, já que, enfim, há viúvas abusivas e órfãos ferozes. Bastava-me, no entanto, farejar num réu o mais leve cheiro de vítima para que minhas mangas entrassem em ação. E que ação! Uma tempestade! Eu tinha o coração nas mangas. Podia-se pensar que a justiça dormia comigo todas as noites. Tenho certeza de que o senhor admiraria a exatidão do meu tom, a justeza da minha emoção, a persuasão e o calor, a indignação controlada das minhas defesas. A natureza favoreceu-me quanto ao físico, a atitude nobre me vem sem esforço. Além disso, eu era alimentado por dois sentimentos sinceros: a satisfação de me encontrar do lado certo do tribunal e um desprezo instintivo pelos juízes em geral. Este desprezo, afinal, talvez não fosse tão instintivo. Sei agora que ele tinha lá suas razões. Mas, visto de fora, parecia mais uma paixão. Não se pode negar que, pelo menos, por ora, os juízes sejam necessários, não acha? No entanto, eu não conseguia compreender por que um homem designava a si próprio para exercer esta surpreendente função. Admitia-o, já que o via, mas um pouco como eu admitia os gafanhotos. Com a diferença de que as invasões destes ortópteros nunca me renderam um centavo, ao passo que eu ganhava a vida dialogando com pessoas que desprezava.

Mas, enfim, eu estava do lado certo, isso bastava para a paz da minha consciência. O sentimento do direito, a satisfação de ter razão, a alegria de nos estimarmos a nós próprios são, meu caro senhor, impulsos poderosos para nos manter de pé ou nos fazer avançar. Pelo contrário, privar os homens desses impulsos é transformá-los em cães raivosos. Quantos crimes cometidos, simplesmente porque o seu autor não podia suportar o fato de estar errado! Conheci, em outros tempos, um industrial que tinha uma mulher perfeita, admirada por todos e que, no entanto, ele traía. Este homem ficava literalmente raivoso ao se descobrir culpado, na impossibilidade de receber, ou de passar a si próprio uma certidão de virtude. Quanto mais a mulher se mostrava perfeita, mais ele se enraivecia. Finalmente, seu erro se tornou insuportável. Que pensa que fez então? Parou de enganá-la? Não. Matou-a. Foi deste modo que travei conhecimento com ele.

Minha situação era mais invejável. Não só não me arriscava a passar para o campo dos criminosos (particularmente, não tinha nenhuma probabilidade de matar minha mulher, pois era solteiro), como assumia, ainda, a defesa deles, com a única condição de serem bons assassinos, como outros são bons selvagens. A própria maneira pela qual eu conduzia essa defesa me dava grandes satisfações. Era realmente irrepreensível na minha vida profissional. Nunca aceitei propinas, é desnecessário dizer, mas também nunca me rebaixei a nenhum empenho. Coisa ainda mais rara, nunca concordei em bajular qualquer jornalista, para torná-lo favorável a mim, nem funcionário algum, cuja amizade me pudesse ser útil. Tive mesmo a sorte de me oferecerem por duas ou três vezes a Legião de Honra, que eu pude recusar com uma dignidade discreta, na qual encontrava minha verdadeira recompensa. Enfim, nunca cobrei dos pobres nem alardeei isso aos quatro ventos. Não pense, meu caro senhor, que estou me vangloriando disto tudo. O meu mérito era nenhum: a avidez, que na nossa sociedade substitui a ambição, sempre me fez rir. Eu visava mais alto; verá que a expressão é exata, no que me diz respeito.

Mas avalie já a minha satisfação. Gozava a minha própria natureza e todos nós sabemos que é aí que reside a felicidade, se bem que, para nos tranquilizarmos mutuamente, demonstremos, por vezes, condenar estes prazeres sob o nome de egoísmo. Gozava, pelo menos, a parte da minha natureza que reagia com tanta precisão à viúva e ao órfão, que à força de se exercer, acabava reinando sobre a minha vida toda. Adorava, por exemplo, ajudar os cegos a atravessar as ruas. Por mais longe que estivesse, ao avistar uma bengala que hesitava na esquina de uma calçada, eu me precipitava, adiantava-me um segundo, por vezes, à mão caridosa que já se estendia, arrancava o cego a qualquer outra solicitude que não a minha, e conduzia-o, com mão bondosa e firme, pela faixa de pedestres, entre os obstáculos do trânsito, até o porto seguro da calçada, onde nos separávamos com uma emoção mútua. Da mesma forma, sempre gostei de dar informações às pessoas que passavam por mim na rua, dar-lhes fogo, prestar uma ajuda às carretas pesadas demais, empurrar o automóvel enguiçado, comprar o jornal à moça do Exército da Salvação ou as flores na velha florista, mesmo sabendo que ela as roubava no cemitério de Montparnasse. Gostava também, ah, isso é mais difícil de dizer, gostava de dar esmolas! Um grande cristão amigo meu reconhecia que o primeiro sentimento que experimentamos ao ver um mendigo se aproximar de nossa casa é de desagrado. Pois bem, comigo era pior: eu exultava. Mas passemos adiante.

Falemos antes de minha cortesia. Ela era famosa e, no entanto, indiscutível. A polidez dava-me, com efeito, grandes alegrias. Se tinha a oportunidade, em certas manhãs, de ceder o lugar no ônibus ou no metrô a quem visivelmente o merecesse, de apanhar do chão algum objeto que uma senhora de idade deixara cair e devolvê-lo com um sorriso que eu conhecia ou, simplesmente, de ceder o meu táxi a uma pessoa com mais pressa do que eu, isso enchia de luz o meu dia.

Chegava a deliciar-me, não posso deixar de dizê-lo, com os dias em que, devido à greve dos transportes públicos, eu tinha a oportunidade de embarcar no meu automóvel, nas paradas de ônibus, alguns dos meus infelizes concidadãos impossibilitados de voltar para casa. Deixar, enfim, a minha poltrona no teatro para permitir que um casal se reunisse; em viagem, colocar as malas de uma moça no bagageiro instalado alto demais para ela eram alguns feitos que eu realizava com mais frequência do que os outros, porque estava mais atento às oportunidades de fazê-lo e porque deles recolhia os prazeres mais gostosos.

Tinha fama de generoso também, e eu o era. Dei muito, em público e em particular. Mas longe de sofrer, quando era preciso separar-me de um objeto ou de uma quantia em dinheiro, tirava daí constantes prazeres, dos quais o menor não era uma espécie de melancolia que, às vezes, nascia dentro de mim, ao considerar a esterilidade destas dádivas e a provável ingratidão que lhe seguiria. Tinha mesmo tal prazer em dar, que detestava ser obrigado a isso. A exatidão em matéria de dinheiro me irritava e eu condescendia em preocupar-me com ela sempre de mau humor. Precisava ser senhor das minhas liberalidades.

Não são mais do que breves traços, mas que lhe farão compreender os contínuos deleites que eu encontrava na minha vida e, sobretudo, na minha profissão. Ser detido, por exemplo, nos corredores do Tribunal pela mulher de um réu que havíamos defendido unicamente por justiça ou piedade, quero dizer, gratuitamente, ouvir esta mulher murmurar que nada, não, nada poderá pagar o que se fez por eles, responder então que era muito natural, que qualquer um teria feito o mesmo, oferecer até um auxílio para as dificuldades dos dias vindouros, e, depois, a fim de pôr termo às efusões e conservar-lhes assim uma justa ressonância, beijar a mão de uma pobre mulher e acabar com aquilo, acredite, meu caro senhor, é elevar-se acima da ambição vulgar e içar-se ao ponto culminante, onde a virtude só busca alimentar-se de si própria.

Paremos nesses cimos. Compreende agora o que eu queria dizer ao falar em visar mais alto. Falava precisamente destes pontos culminantes, os únicos onde posso viver. Sim, nunca me senti à vontade a não ser nas situações elevadas. Até nos pormenores da vida eu tinha necessidade de estar por cima. Preferia o ônibus ao metrô, os tílburis aos táxis, os terraços às sobrelojas. Amador de aviões de esporte em que se anda com a cabeça em pleno céu, eu representava também, nos navios, o eterno passageiro errante dos tombadilhos. Nas montanhas, evitava os vales orlados dos dois lados pelas gargantas e planaltos; era o homem das planícies, pelo menos. Se o destino me houvesse forçado a escolher um trabalho manual, torneiro ou pedreiro, pode estar certo de que eu teria escolhido os telhados e feito amizade com as vertigens. Os paióis, os porões, os subterrâneos, as grutas, os abismos, causavam-me horror. Devotava um ódio especial aos espeleólogos, que tinham o atrevimento de ocupar a primeira página dos jornais e cujos feitos me enojavam. Esforçar-se por atingir a cota menos oitocentos, com risco de ficar com a cabeça espremida num gargalo rochoso (um sifão, como dizem esses inconscientes!) parecia-me uma proeza de indivíduos pervertidos ou traumatizados. Havia algo de criminoso nisso tudo.

Um terraço natural, a quinhentos ou seiscentos metros acima do nível de um mar ainda visível e banhado de luz, era, pelo contrário, o lugar onde eu respirava melhor, sobretudo se estivesse só, muito acima das formigas humanas. Eu me convencia facilmente de que os sermões, as pregações decisivas, os milagres de fogo ocorreram em alturas acessíveis. No meu entender, não se meditava em subterrâneos ou nas celas das prisões (a menos que ficassem numa torre, com uma ampla vista), num lugar desses as pessoas mofam. E compreendia aquele homem que, tendo entrado numa ordem religiosa, renunciara à batina, porque sua cela, em lugar de se abrir, como ele esperava, para uma vasta paisagem, dava para uma parede. Fique certo, no que me diz respeito, que eu não mofava. A qualquer hora do dia, em mim próprio e entre os outros, eu escalava as alturas, acendia fogueiras bem visíveis e alegres saudações elevavam-se até mim. Era assim, pelo menos, que eu sentia prazer na vida e na minha própria excelência.

A minha profissão satisfazia, felizmente, esta vocação das alturas. Ela me livrava de qualquer amargura em relação ao próximo, a quem eu sempre servia, sem nunca lhe dever nada. Ela me colocava acima do juiz, que por minha vez, eu julgava; acima do réu, que eu obrigava ao reconhecimento. Medite bem sobre isto, meu caro senhor: eu vivia impunemente. Nenhum julgamento me dizia respeito, não me encontrava no palco do tribunal, mas em algum lugar nas galerias, como esses deuses que, de tempos em tempos, se fazem descer por meio de um maquinismo, para transfigurar a ação e dar-lhe o seu sentido. Afinal, viver no alto é ainda a única maneira de ser visto e saudado pela maioria das pessoas.

Aliás, alguns dos meus bons criminosos tinham, ao matar, obedecido ao mesmo sentimento. A leitura dos jornais, na triste situação em que se encontravam, trazia-lhes, sem dúvida, uma espécie de infeliz compensação. Como muitos outros homens, eles já não suportavam o anonimato, e esta impaciência tinha podido, em parte, levá-los a lastimáveis extremos. Em suma, para alguém se tornar conhecido, basta matar a porteira.* Trata-se, infelizmente, de uma reputação efêmera, tantas são as porteiras que merecem e recebem uma facada. O crime está incessantemente em cena, mas o criminoso só figura fugazmente, para logo ser substituído. Enfim, paga-se muito caro por estes breves triunfos. Pelo contrário, defender os nossos infelizes aspirantes à fama resultava em ser verdadeiramente reconhecido, ao mesmo tempo e nos mesmos lugares, mas por meios mais econômicos. Isso animava-me também a envidar apreciáveis esforços para que eles sofressem a menor

---

* Porteira, do original "concierge", tipo característico francês, conhecida pelo mau humor e irritabilidade com que trata os moradores ou visitantes do prédio em que trabalha. (*N. da T.*)

pena possível: a que sofriam, sofriam-na um pouco em meu lugar. A indignação, o talento, a emoção que eu despendia livraram-me, em compensação, de qualquer dívida em relação a eles. Os juízes condenavam, os réus expiavam e eu, livre de qualquer obrigação, isento tanto de julgamento quanto de sanção, eu imperava, livremente, numa luz edênica.

Na realidade, não seria isso, o Éden, meu caro senhor: a vida bem engrenada? Foi assim a minha. Nunca tive necessidade de aprender a viver. A esse respeito, já sabia de tudo ao nascer. Há pessoas cujo problema é resguardar-se dos homens ou, pelo menos, acomodar-se a eles. Quanto a mim, a acomodação estava feita. Familiar quando era preciso, silencioso se necessário, capaz de tanta desenvoltura quanto de gravidade, estava sempre à altura. Dessa forma, era grande a minha popularidade, e os meus êxitos no mundo eu nem contava mais. Fazia boa figura, revelava-me simultaneamente incansável dançarino e erudito discreto, chegava a amar ao mesmo tempo, o que não é nada fácil, as mulheres e a justiça, praticava esportes e as belas-artes; em resumo: vou parar para que não me julgue condescendente. Mas imagine, eu lhe peço, um homem na força da idade, com a saúde perfeita, generosamente dotado, hábil tanto nos exercícios do corpo quanto da inteligência, nem pobre nem rico, de sono fácil, e profundamente satisfeito consigo mesmo, sem demonstrá-lo, a não ser por uma alegre sociabilidade. Admitirá, então, que eu possa falar, com toda a modéstia, de uma vida bem-sucedida.

Sim, poucos seres terão sido mais naturais do que eu. O meu entendimento com a vida era total, eu aderia ao que ela era, de alto a baixo, sem nada recusar das suas ironias, de sua grandeza, nem das suas servidões. Particularmente a carne, a matéria, em resumo, o físico, que desconcerta ou desanima tantos homens no amor ou na solidão, dava-me, sem me escravizar, alegrias iguais. Tinha sido feito para ter um corpo. Daí esta harmonia em mim próprio, este autocontrole sem esforço que as pessoas sentiam e que, segundo confessavam, às vezes, ajudava-as a viver. Buscavam, pois, a minha companhia. Muitas vezes, por exemplo, julgavam já ter-me encontrado. A vida, os seus seres e os seus dons vinham ao meu encontro; eu aceitava estas homenagens com um orgulho benevolente. Na verdade, à força de ser homem, com tanta plenitude e simplicidade, achava-me um pouco super-homem.

Era de origem honesta, mas obscura (meu pai era militar) e, no entanto, certas manhãs, humildemente o confesso, sentia-me filho de rei ou uma sarça ardente. Tratava-se, repare bem, de algo bem diferente da certeza em que eu vivia de ser mais inteligente do que todo mundo. Tal certeza, aliás, é sem consequência, pelo fato de ser compartilhada por tantos imbecis. Não, à força de ser cumulado, eu me sentia, hesito em confessá-lo, um eleito. Eleito pessoalmente, entre todos, para este longo e constante êxito. Nisto estava, em suma, um efeito da minha modéstia. Negava-me a atribuir este êxito unicamente aos meus méritos e não conseguia acreditar que a reunião, numa só pessoa, de qualidades tão diferentes e tão opostas fosse resultado de mero acaso. Eis por que, vivendo feliz, eu me sentia, de certa forma, autorizado a gozar esta felicidade por algum decreto superior. Se lhe disser que não tinha religião alguma, compreenderá ainda melhor o que havia de extraordinário nesta convicção. Extraordinária ou não, ela me ergueu durante muito tempo acima do tedioso dia a dia, e fiquei planando literalmente, durante anos, dos quais, para dizer a verdade, ainda tenho saudades. Planei até a noite em que... Mas, não, isso é outro assunto que deve ser esquecido. Aliás, talvez eu esteja exagerando. Sentia-me à vontade em tudo, é bem verdade, mas, ao mesmo tempo, nada me satisfazia. Cada alegria fazia com que desejasse outra. Ia de festa em festa. Chegava a dançar noites inteiras, cada vez mais louco com os seres e com a vida. Às vezes, já bastante tarde, nessas noites em que a dança, o álcool leve, o meu modo desenfreado e o violento abandono de todos me lançavam a um arrebatamento ao mesmo tempo lasso e pleno, parecia-me no extremo da exaustão e no espaço de um segundo, compreender, enfim, o segredo dos seres e do mundo. Mas o cansaço desaparecia no dia seguinte e com eles, o segredo; e eu me lançava outra vez com todo ímpeto. Assim corria eu, sempre pleno, jamais saciado, sem saber onde parar, até o dia, ou melhor, até a noite em que a música parou e as luzes se apagaram. A festa em que eu fora feliz... Mas permita-me que recorra ao nosso amigo primata. Faça-lhe um aceno de cabeça em sinal de agradecimento e, sobretudo, beba comigo, preciso da sua simpatia.

Vejo que esta declaração o espanta. Nunca teve uma súbita necessidade de simpatia, de auxílio, de amizade? Sim, com certeza. No meu caso, aprendi a contentar-me com a simpatia. Encontra-se mais facilmente e, depois, não exige nenhum compromisso. "Creia na minha simpatia", no discurso interior, precede imediatamente "e agora, ocupemo-nos de outra coisa". É um sentimento de presidente de Conselho: obtém-se a bom preço, depois das catástrofes. A amizade é menos simples. A sua aquisição é longa e difícil mas, quando se obtém, já não há meios de nos livrarmos dela, temos de enfrentá-la. Sobretudo, não acredite que os seus amigos lhe telefonarão todas as noites, como deviam, para saber se não é precisamente essa a noite em que decidiu suicidar-se ou, mais simplesmente, se não tem necessidade de companhia, se não está com vontade de sair. Oh, não, se telefonarem, pode ficar certo, será na noite em que já não está só e em que a vida é bela. Quanto ao suicídio, de preferência eles o levariam a isso, em virtude do que deve a si próprio, segundo eles. Que Deus nos livre, caro senhor, de sermos colocados muito alto por nossos amigos! Quanto àqueles cuja função é amar-nos, quero dizer, a família, os aliados (que expressão esta!), isso é outra história. Têm a palavra necessária, sim, é verdade que a têm, mas é mais a palavra-bala; telefonam como quem dispara uma carabina. E acertam no alvo. Ah! os Bazaines!

Como? Qual noite? Já chego lá, tenha paciência comigo. De certa forma, aliás, estou no meu elemento, com esta história de amigos e de aliados. Sabe, ouvi falar de um homem cujo amigo tinha sido preso e que todas as noites se deitava no chão do seu quarto para não gozar de um conforto do qual havia sido privado aquele que ele amava. Quem, meu caro senhor, quem se deitará no chão por nós? Se eu mesmo seria capaz disso? Escute, gostaria de ser, sê-lo-ei. Sim, seremos todos capazes disto, um dia, e será a salvação. Mas não é fácil, porque a amizade é distraída ou, pelo menos, impotente. O que ela quer, não pode. Talvez, afinal, não o queira bastante? Talvez não amemos a vida o bastante. Já reparou que só a morte desperta os nossos sentimentos? Como amamos os amigos que acabam de deixar-nos, não acha?! Como admiramos os nossos mestres que já não falam mais, que estão com a boca cheia de terra! A homenagem vem, então, muito naturalmente, essa mesma homenagem que talvez tivessem esperado de nós, durante a vida inteira. Mas sabe por que somos sempre mais justos e mais generosos para com os mortos? A razão é simples! Para com eles, já não há obrigações. Deixam-nos livres, podemos dispor do nosso tempo, encaixar a homenagem entre o coquetel e uma doce amante: em resumo, nas horas vagas. Se nos impusessem algo, seria a memória, e nós temos a memória curta. Não, é o morto recente que nós amamos nos nossos amigos, o morto doloroso, a nossa emoção, enfim, nós mesmos!

Tinha, assim, um amigo que eu evitava sempre que podia. Irritava-me um pouco e, depois, tinha moral. Mas, na agonia, ele me reencontrou, fique descansado. Não falhei um só dia. Morreu satisfeito comigo, apertando-me as mãos. Uma mulher que me perseguia, mas em vão, teve o bom gosto de morrer jovem. Que espaço imediatamente no meu coração! E quando, ainda por cima, se trata de um suicídio! Senhor, que deliciosa confusão! O telefone funciona, o coração transborda, e as frases voluntariamente breves, mas carregadas de subentendidos, a dor controlada, e até mesmo, sim, um pouco de autoacusação!

É assim o homem, caro senhor, com duas faces: não consegue amar sem se amar. Observe os seus vizinhos, se por acaso ocorrer um falecimento no prédio. Adormecidos na sua vidinha, e eis que morre o porteiro. Despertam imediatamente, agitam-se, informam-se, enchem-se de compaixão. Um morto no prelo, e o espetáculo começa, finalmente. Eles têm necessidade de tragédia, que se pode fazer, é a sua pequena transcendência, é o seu aperitivo. Será, aliás, por acaso que lhe falo em porteiros? Eu tinha um, que era uma verdadeira desgraça, a maldade em pessoa, um monstro de insignificância e de rancor, que faria desanimar um franciscano. Eu nem sequer lhe dirigia a palavra, mas pela sua própria existência, ele comprometia a minha satisfação habitual. Morreu, e eu fui ao seu enterro. Será capaz de me dizer por quê?

Os dois dias que antecederam a cerimônia foram, aliás, cheios de interesse. A mulher do porteiro estava doente, deitada no quarto único, e junto dela tinham colocado o caixão sobre os cavaletes. Era preciso ir pessoalmente buscar a correspondência. Abria-se a porta e dizia-se: "Bom dia, minha senhora", ouvia-se o elogio do finado, que a porteira apontava com a mão, e levava-se a correspondência. Nada de rejubilante em tudo isto, não acha? Todo o prédio, no entanto, desfilou pelo cubículo que fedia a fenol. E os inquilinos não mandavam as empregadas não, vinham eles próprios, em pessoa, aproveitar-se da oportunidade. Aliás, as empregadas também, mas às escondidas. No dia do enterro, verificou-se que o caixão era grande demais para a porta do cubículo. "Oh, meu querido", dizia, da cama, a porteira, com uma surpresa ao mesmo tempo enlevada e dolorida. "Como ele era grande!" "Não se preocupe, minha senhora", dizia o agente funerário, "vai passar, de lado e de pé." Passaram-no de pé, e depois puseram-no ao comprido e eu fui (com um antigo frequentador de cabarés que, segundo vim a saber, bebia o seu Pernod todas as noites, com o defunto) a única pessoa a acompanhá-lo até o cemitério e a atirar flores sobre um caixão cujo luxo me espantou. Em seguida, fiz uma visita à porteira, para receber os seus agradecimentos de atriz de tragédias. Que razão há nisto tudo, pode dizer-me? Nenhuma, a não ser o aperitivo.

Fui também ao enterro de um velho colaborador meu da Ordem dos Advogados. Um amanuense, bastante desprezado, a quem eu apertava sempre a mão. Aliás, onde quer que trabalhasse, eu apertava todas as mãos, e até duas vezes, em vez de uma. Esta cordial simplicidade valia-me, sem grande esforço, a simpatia de todos, necessária à minha felicidade. O Chefe da Ordem dos Advogados não se deu o trabalho de ir ao enterro do nosso amanuense. Mas eu sim, e na véspera de uma viagem, o que foi salientado. Eu sabia precisamente que a minha presença seria notada e comentada favoravelmente. Então, o senhor compreende que nem a neve que caía nesse dia me fez recuar.

Como? Já chego lá, não tenha receio algum, aliás ainda continuo nisso. Mas deixe-me, antes, fazer-lhe observar que a minha porteira, que se arruinara com o crucifixo, um belo carvalho e as alças de prata do caixão, para melhor gozar a sua emoção, amigou-se um mês depois com um malandro de bela voz. Ele a espancava, ouviam-se gritos horríveis e, logo a seguir, abria a janela e soltava a sua cantiga preferida: "Mulheres, como sois belas!" "Francamente!", diziam os vizinhos. Francamente, o quê?, pergunto-lhe eu. Bem, este barítono tinha contra si as aparências, e a porteira também. Mas nada prova que não se amassem. Nada prova, também, que ela não amasse o marido. Além disso, quando o malandro se foi, com a voz e os braços cansados, ela retomou os louvores ao defunto, a fiel mulher! Afinal, conheço outros que têm as aparências a seu favor e que não são mais constantes, nem mais sinceros. Conheci um homem que deu vinte anos de sua vida a uma desmiolada, por quem tudo sacrificou, as amizades, o trabalho, a própria decência de sua vida, para uma noite reconhecer que nunca a havia amado. Ele se entediava, nada mais. Entediava-se como a maior parte das pessoas. Tinha construído, peça por peça, uma vida de complicações e de dramas. É preciso que algo aconteça, eis a explicação da maior parte dos compromissos humanos. É preciso que algo aconteça, mesmo a servidão sem amor, mesmo a guerra ou a morte. Vivam, pois, os enterros!

Eu, pelo menos, não tinha esta desculpa. Não me entediava, pois eu imperava. Na noite de que lhe falo, posso mesmo dizer que me entediava menos do que nunca. Não, na verdade eu não desejava que alguma coisa acontecesse. E, no entanto... Veja, meu caro senhor, era uma bela noite de outono, ainda morna sobre a cidade, e já úmida sobre o Sena. A noite caía, o céu ainda estava claro no poente, mas já escurecia, os lampiões brilhavam debilmente. Eu subia os cais da margem esquerda, rumo a Pont des Arts. Via-se o rio rebrilhar entre as bancas fechadas dos *bouquinistes*.*
Havia pouca gente nos cais: Paris já estava à mesa. Eu esmagava sob os pés as folhas amarelas e poeirentas, que lembravam ainda o verão. Pouco a pouco, o céu se enchia de estrelas, que se distinguiam de modo fugaz, ao afastar-se de um lampião para o outro. Eu saboreava o silêncio que retornava, a calma da noite, Paris vazia. Estava contente. O dia fora bom: um cego, a redução de pena que eu esperava, o caloroso aperto de mão do meu cliente, algumas generosidades e, à tarde, um brilhante improviso, diante de alguns amigos, sobre a dureza de

---

* Vendedores de livros, gravuras etc., típicos da beira do Sena. (*N. da T.*)

coração da nossa classe dirigente e a hipocrisia das nossas elites.

Subira na Pont des Arts, àquela hora deserta, para olhar o rio que mal se adivinhava na noite que agora chegara. Em frente ao Vert-Galant, eu dominava a ilha. Sentia crescer em mim um vasto sentimento de força e de realização, que me dilatava o coração. Eu me endireitei e ia acender um cigarro, o cigarro da satisfação, quando, no mesmo momento, explodiu uma gargalhada atrás de mim. Surpreendido, fiz uma brusca meia-volta: não havia ninguém. Fui até o parapeito: nenhuma barcaça, nenhum barco. Virei-me para a ilha e de novo ouvi o riso às minhas costas, um pouco mais distante, como se descesse o rio. Fiquei onde estava, imóvel. O riso diminuía, mas eu o ouvia ainda distintamente atrás de mim, vindo de lugar nenhum, a não ser das águas. Ao mesmo tempo, sentia os batimentos precipitados do meu coração. Compreenda-me bem, este riso nada tinha de misterioso: era um riso bom, natural, quase amigável, que recolocava as coisas no seu lugar. Aliás, logo depois não ouvi mais nada. Retornei ao cais, entrei na rua Dauphine, comprei cigarros, sem necessidade alguma. Estava atordoado, respirava com dificuldade. Nessa noite, telefonei para um amigo, que não estava em casa. Hesitava em sair, quando, de repente, ouvi alguém rir sob a minha janela. Abri. Com efeito, na calçada, alguns jovens despediam--se alegremente. Dei de ombros, tornei a fechar a janela; afinal, eu tinha um processo para estudar. Dirigi-me ao banheiro para beber um copo de água. A minha imagem sorria no espelho, mas pareceu-me que me via com um duplo sorriso...

Como? Desculpe, estava pensando em outra coisa. Provavelmente tornarei a vê-lo amanhã. Amanhã, sim, é isso mesmo. Não, não, não posso ficar. Aliás, o urso pardo que vê lá ao fundo está me chamando para uma consulta. Um homem de bem, seguramente, que a polícia maltrata sordidamente, e por pura perversidade. O senhor acha que ele tem cara de assassino? Pois fique certo que é a cara do seu emprego. Também é arrombador, e o senhor ficaria surpreso ao descobrir que este homem das cavernas se especializou no tráfico de quadros. Na Holanda, todo mundo é especialista em pinturas e em tulipas. Este, com o seu ar modesto, é o autor do mais célebre roubo de quadros. Qual? Talvez eu lhe diga. Não se admire do meu conhecimento. Embora eu seja juiz-penitente, tenho aqui um passatempo: sou o assessor jurídico desta boa gente. Estudei a legislação do país e arranjei clientela neste bairro, onde não se exigem diplomas. Não foi fácil, mas eu inspiro confiança, não acha? Tenho um riso agradável e franco, o meu aperto de mão é enérgico; são os meus trunfos. E, além disso, resolvi alguns casos difíceis: a princípio, por interesse e, depois, por convicção. Se os proxenetas e os ladrões fossem sempre condenados em toda parte, as pessoas de bem, meu caro senhor, julgar-se-iam todas e incessantemente inocentes. E, no meu entender — pronto, pronto, já chego lá! —, é sobretudo isso que é preciso evitar. De outra forma, haveria muita razão para rir.

3

Realmente, meu caro compatriota, fico-lhe muito grato pela sua curiosidade. No entanto, minha história nada tem de extraordinário. Saiba, já que tem tanto interesse nisso, que pensei um pouco naquele riso, durante alguns dias, e depois o esqueci. De vez em quando, parecia-me ouvi-lo, em algum lugar dentro de mim. Mas, durante a maior parte do tempo, eu pensava sem esforço em outras coisas.

Devo reconhecer, no entanto, que não pus mais os pés nos cais de Paris. Quando passava por lá de automóvel ou de ônibus, fazia-se dentro de mim uma espécie de silêncio. Acho que esperava. Mas atravessava o Sena, nada sucedia, e então eu respirava. Tive também, nessa época, alguns problemas de saúde. Nada de preciso, um abatimento, pode-se chamar assim, uma espécie de dificuldade em encontrar o meu bom humor. Fui a médicos, que me deram tônicos reconstituintes. Melhorava, e depois recaía. A vida tornava-se menos fácil: quando o corpo está triste, o coração perde as forças. Parecia-me desaprender em parte o que nunca tinha aprendido e que, no entanto, sabia tão bem, isto é, viver. Sim, acho que tudo começou mesmo nessa ocasião.

Mas também esta noite eu não me sinto em forma. Tenho até dificuldade com o estilo de minhas frases. Falo com menos brilho, parece-me, e minha expressão é menos segura. Provavelmente o tempo. Respira-se mal, o ar está tão carregado que oprime o peito. Veria algum inconveniente, meu caro compatriota, em sairmos para dar uma caminhada pela cidade? Obrigado.

Como os canais são belos, à noite! Gosto do cheiro de mofo que as águas exalam, do odor das folhas que se decompõem no canal e do cheiro fúnebre que sobe das barcaças carregadas de flores. Não, não, este gosto nada tem de mórbido, acredite. Pelo contrário, no meu caso, é uma coisa intencional. A verdade é que eu me forço a admirar estes canais. O que mais amo no mundo é a Sicília, veja bem, e sobretudo do topo do Etna, em plena luz do dia, sob a condição de dominar a ilha e o mar. Java, também, mas na época dos ventos alísios. Sim, estive lá, quando jovem. De maneira geral, gosto de todas as ilhas. É mais fácil imperar lá.

Deliciosa casa, não acha? As duas cabeças que vê lá são de escravos negros. Uma insígnia. A casa pertencia a um traficante de escravos. Ah! Não se escondia o jogo, naqueles tempos. Tinha-se audácia, dizia-se: "Aí está, faço tráfico de escravos, vendo carne negra." Já imaginou alguém, hoje em dia, trazendo ao conhecimento público que é este o seu trabalho? Que escândalo! Parece que estou ouvindo meus confrades parisienses. Como são irredutíveis nessa questão, não hesitariam em lançar dois ou três manifestos, talvez até mais! Pensando bem, eu juntaria minha assinatura às deles. A escravatura, ah, isso não, nós somos contra! Que se seja obrigado a instalá-la em sua casa ou nas fábricas, bom, é a ordem natural das coisas, mas vangloriar-se disso é o cúmulo.

Bem sei que não se pode deixar de dominar ou de ser servido. Todo homem tem necessidade de escravos, como de ar puro. Mandar é respirar, não tem a mesma opinião? E até os mais favorecidos conseguem respirar. O último da escala social tem ainda o cônjuge ou o filho. Se é solteiro, um cão. O essencial, em resumo, é uma pessoa poder zangar-se, sem que alguém tenha o direito de responder. "Não se responde ao pai", conhece a fórmula? Em certo sentido, ela é singular. A quem se responderia neste mundo, senão a quem se ama? Por outro lado, ela é convincente. É preciso que alguém tenha a última palavra. Senão, a toda razão pode opor--se uma outra: nunca mais se acabaria. A força, pelo contrário, resolve tudo. Levou tempo, mas conseguimos compreendê-lo. Por exemplo, deve ter notado, a nossa velha Europa filósofa, enfim, da melhor maneira. Já não dizemos, como nos tempos ingênuos: "Eu penso assim. Quais são as suas objeções?" Tornamo-nos lúcidos. Substituímos o diálogo pelo comunicado. "Esta é a verdade", dizemos. "Podem até discuti-la, isso não nos interessa. Mas, dentro de alguns anos, lá estará a polícia para lhes mostrar que tenho razão."

Ah! Querido planeta! Tudo agora é claro aqui. Conhecemo-nos. Sabemos do que somos capazes. Vejamos: eu, para mudar de exemplo, senão de assunto, sempre desejei ser servido com um sorriso. Se a empregada tinha um ar triste, envenenava-me os dias. Ela tinha todo o direito de não estar alegre, sem dúvida. Mas eu dizia a mim mesmo que era melhor para ela fazer o serviço sorrindo que chorando. Na realidade, isto era muito melhor para mim. No entanto, sem ser glorioso, o meu raciocínio não era totalmente idiota. Da mesma forma, negava-me sempre a comer nos restaurantes chineses. Por quê? Porque os asiáticos, quando se calam, e diante dos brancos, têm sempre um ar de desprezo. Naturalmente, eles conservam este ar, enquanto servem! Como saborear, então, o frango laqueado? Como, sobretudo, ao vê-los, pensar que se tem razão?

Cá entre nós, a servidão, de preferência sorridente, é, portanto, inevitável. Mas não o devemos reconhecer. Quem não pode deixar de ter escravos, não será melhor chamá-los de homens livres? Por princípio, em primeiro lugar, e depois para não desesperá-los. Esta compensação certamente lhes é devida, não acha? Deste modo, eles continuarão a sorrir e nós ficaremos com a consciência tranquila. Sem isso, seríamos forçados a mudar de opinião, ficaríamos loucos de dor, ou até modestos, deve-se temer tudo. Por isso, nada de insígnias, e isto é escandaloso. Aliás, se todo mundo se sentasse à mesa e ostentasse a sua verdadeira profissão, sua identidade, já nem saberíamos para que lado haveríamos de nos voltar! Imagine os cartões de visita. Dupont, filósofo apavorado ou proprietário cristão ou humanista adúltero, na verdade, nós temos a escolha. Mas seria o inferno! Sim, o inferno deve ser assim: ruas com insígnias e nenhuma possibilidade de explicação. Fica-se classificado de uma vez para sempre.

O senhor, por exemplo, meu caro compatriota, pense um pouco qual seria a sua insígnia. O senhor se cala? Bom, pode me responder mais tarde. Em todo caso, eu conheço a minha: tem duas faces, um Janus encantador e, por cima, o lema da casa: "Não confie." E nos meus cartões de visita: "Jean-Baptiste Clamence, ator." Sabe, pouco tempo depois da noite de que lhe falei, fiz uma descoberta. Quando deixava um cego sobre a calçada onde eu o tinha ajudado a aterrissar, saudava-o. Evidentemente, esse cumprimento não lhe era destinado, ele não o podia ver. A quem, pois, se dirigia? Ao público. Depois da representação, as mesuras. Nada mal, hem? Outro dia, nessa mesma época, a um motorista que me agradecia por tê-lo ajudado, respondi que ninguém teria feito o mesmo. Eu queria dizer, é claro, que qualquer pessoa teria feito o mesmo. Mas este infeliz lapso ficou remoendo o meu coração. Em questão de modéstia, realmente, eu era imbatível.

Devo reconhecê-lo humildemente, meu caro compatriota, fui sempre um poço de vaidade. Eu, eu, eu, eis o refrão de minha preciosa vida, e que se ouvia em tudo quanto eu dizia. Só conseguia falar vangloriando-me, sobretudo se o fazia com esta ruidosa discrição, cujo segredo eu possuía. É bem verdade que eu sempre vivi livre e poderoso. Simplesmente, sentia-me liberado em relação a todos pela excelente razão de que me considerava sem igual. Sempre me achei mais inteligente do que todo mundo, como já lhe disse, mas também mais sensível e mais hábil, atirador de elite, incomparável ao volante e melhor amante. Mesmo nos setores em que era fácil verificar a minha inferioridade, como o tênis, por exemplo, em que eu era apenas um parceiro razoável, era-me difícil não acreditar que, se tivesse tempo para treinar, superaria os melhores. Só reconhecia em mim superioridades, o que explicava minha benevolência e minha serenidade. Quando me ocupava dos outros, era por pura condescendência, em plena liberdade, e todo o mérito revertia em meu favor: eu subia um degrau no amor que dedicava a mim mesmo.

Com algumas outras verdades, descobri, pouco a pouco, estas evidências, durante o período que se seguiu à noite de que lhe falei. Não imediatamente, não, nem com muita nitidez. Foi preciso, primeiro, recuperar a memória. Gradativamente, fui vendo mais claro, aprendi um pouco do que sabia. Até então, tinha sido sempre ajudado por um espantoso poder de esquecimento. Esquecia tudo, e, em primeiro lugar, as minhas resoluções. No fundo, nada contava. Guerra, suicídio, amor, miséria, prestava atenção nisso, é claro, quando as circunstâncias me obrigavam, porém de uma maneira cortês e superficial. Às vezes, fingia apaixonar-me por uma causa estranha à minha vida mais quotidiana. No fundo, porém, eu não participava dela, exceto, é claro, quando a minha liberdade era contrariada. Como dizer-lhe? Tudo isso resvalava. Sim, tudo resvalava em mim.

Sejamos justos: acontecia serem meritórios os meus esquecimentos. Já notou que há pessoas cuja religião consiste em perdoar todas as ofensas, e que efetivamente as perdoam, mas nunca as esquecem. Eu não era feito de matéria que me permitisse perdoar as ofensas, mas acabava sempre por esquecê-las. E, se alguém se julgasse detestado por mim, custava a acreditar que estava sendo saudado com um largo sorriso. Segundo a sua índole, admirava então a minha grandeza de alma ou desprezava a minha desfaçatez, sem pensar que a minha razão era mais simples: eu tinha esquecido até o seu nome. O mesmo defeito que me tornava indiferente ou ingrato fazia-me magnânimo.

Vivia, pois, sem outra continuidade no dia a dia, que não fosse a do eu-eu-eu. No dia a dia, as mulheres; no dia a dia, virtude ou o vício; no dia a dia, como os cães, mas todos os dias, eu próprio, firme no meu posto. Avançava, assim, na superfície da vida, de certa forma por palavras, nunca na realidade. Todos esses livros mal lidos, esses amigos mal-amados, essas cidades mal visitadas, essas mulheres mal possuídas! Eu fazia gestos por tédio ou por distração. Os seres vinham logo atrás, queriam agarrar-se, mas não havia nada, e era a infelicidade. Para eles. Porque, quanto a mim, eu esquecia. Nunca me lembrei senão de mim mesmo.

Pouco a pouco, no entanto, minha memória retornou. Ou melhor, eu voltei a ela e lá encontrei a recordação que me esperava. Antes de lhe falar nisso, deixe-me, meu caro compatriota, dar-lhe alguns exemplos (que lhe hão de servir, tenho certeza) do que descobri no decorrer da minha exploração.

Um dia em que, ao dirigir o meu carro, demorei um pouco para arrancar no sinal verde, enquanto os nossos pacientes concidadãos desencadeavam, sem esperar, suas buzinas às minhas costas, lembrei-me, de repente, de outra aventura, que ocorrera nas mesmas circunstâncias. Uma motocicleta dirigida por um homenzinho magro, de calças de golfe, tinha-me ultrapassado e se instalara à minha frente, no sinal vermelho. Com a parada, o homenzinho tinha deixado morrer o motor e esforçava-se, em vão, para dar-lhe novo alento. No sinal verde, pedi-lhe, com a minha habitual delicadeza, que tirasse a motocicleta do caminho para eu poder passar. O homenzinho enervava-se ainda com o seu motor ofegante. Respondeu-me, pois, de acordo com as regras da cortesia parisiense, que fosse para o inferno. Insisti, sempre com polidez, mas com um leve tom de impaciência na voz. Fez-me logo saber que, de qualquer maneira, me mandava ao inferno a pé ou a cavalo. Durante este tempo, começavam já a fazer-se ouvir, atrás de mim, algumas buzinas. Pedi, com mais firmeza, ao meu interlocutor que fosse educado e considerasse que estava atrapalhando o trânsito. O irascível personagem, exasperado sem dúvida pela má vontade já evidente do seu motor, informou-me de que, se eu desejava o que ele chamava uma surra, daria uma com todo prazer. Tanto cinismo encheu-me de furor e saí do meu carro com a intenção de dar um tranco nesse desbocado. Não penso ser covarde (mas o que não se pensa!), e o meu adversário não chegava aos meus ombros, os meus músculos sempre me serviram bem. Creio, ainda hoje, que a surra que ele me ofereceu teria sido mais recebida do que dada. Mas, mal pusera os pés no chão, quando, da multidão que começara a juntar-se, saiu um homem que se precipitou sobre mim para me garantir que eu era o último dos homens e que ele não permitiria que eu batesse numa criatura que tinha uma motocicleta entre as pernas e se encontrava, portanto, em franca desvantagem. Enfrentei este mosqueteiro mas, na verdade, sequer o vi. Com efeito, mal voltara a cabeça, quando ouvi, quase ao mesmo tempo, a motocicleta voltar a disparar e recebi uma pancada violenta no ouvido. Antes de poder registrar o que se tinha passado, a motocicleta afastou-se. Atordoado, avancei mecanicamente para o d'Artagnan, quando, no mesmo momento, um concerto exasperado de buzinas se ergueu da fila já considerável de veículos. Voltava o sinal verde. Então, ainda um pouco desnorteado, em vez de dar uma sacudida no imbecil que me tinha interpelado, voltei docilmente para o meu carro e arranquei, enquanto, à minha passagem, o imbecil me saudava com um "pobre coitado!", de que ainda me lembro.

História sem importância, dirá. Talvez. Simplesmente, foi preciso muito tempo para esquecê-la, isso é o importante. No entanto, tinha uma desculpa. Deixara que me batessem sem reagir, mas não me podiam acusar de covardia. Surpreendido, interpelado dos dois lados, eu tinha embaralhado tudo e as buzinas completaram minha confusão. No entanto, sentia-me infeliz, como se tivesse faltado à honra. Via-me entrando no carro, sem uma reação, sob os olhares irônicos de uma multidão, tanto mais encantada por eu estar vestindo nesse dia, ainda me recordo, um terno azul muito elegante. Ouvia o "pobre coitado!", que, mesmo assim, me parecia justificado. Em suma, eu fraquejara em público. Devido a um conjunto de circunstâncias, é claro, mas as circunstâncias existem sempre. Tarde demais, eu compreendia claramente o que deveria ter feito. Via-me abatendo d'Artagnan com um bom soco, entrar no meu carro e perseguir o verme que me batera para alcançá-lo, encostar a motocicleta à força contra a calçada, puxá-lo à parte e dar-lhe a surra que ele tinha amplamente merecido. Com algumas variantes, revolvi mil vezes este pequeno filme na minha imaginação. Mas era tarde demais e ruminei, durante alguns dias, um ressentimento venenoso.

Olhe, está chovendo de novo. Quer parar embaixo desta marquise? Bem. Onde é que eu estava? Ah, sim, a honra! Pois bem, quando me voltou à lembrança esta aventura, compreendi o que ela significava. Em resumo, o meu sonho não resistira à prova dos fatos. Eu havia sonhado, isto agora ficava claro, em ser um homem completo, que se fizesse respeitar tanto na sua pessoa como no seu ofício. Meio Cerdan, meio De Gaulle, por assim dizer. Em suma, queria dominar em todas as coisas. Eis o motivo pelo qual eu me dava certos ares superiores e recorria a todos os requintes para mostrar antes a minha habilidade física que meus dotes intelectuais. Mas, depois de apanhar em público sem reagir, já não me era possível acariciar esta bela imagem de mim mesmo. Se eu fosse o amigo da verdade e da inteligência que pretendia ser, que me importaria esta aventura já esquecida por aqueles que a tinham presenciado? Apenas me acusaria a mim próprio de ter me irritado à toa e também, uma vez irritado, de não ter sabido enfrentar as consequências da minha raiva, por falta de presença de espírito. Em vez disso, ardia de vontade de me vingar, de bater e de vencer. Como se meu verdadeiro desejo não fosse o de ser a criatura mais inteligente ou mais generosa da terra, mas apenas de bater em quem eu quisesse, de ser, enfim, o mais forte, e da maneira mais elementar. A verdade é que todo homem inteligente, como o senhor bem sabe, sonha em ser um gângster e em imperar sobre a sociedade unicamente pela violência. Como isso não é tão fácil como a leitura de romances especializados pode fazer crer, envereda-se geralmente pela política e corre-se para o partido mais cruel. Que importa, não acha, humilhar o próprio espírito, se dessa forma se consegue dominar o mundo inteiro? Eu descobria em mim agradáveis sonhos de opressão.

Conseguia, pelo menos, saber que não estava do lado dos culpados, dos acusados, a não ser na exata medida em que os seus erros não me causavam qualquer prejuízo. A sua culpabilidade tornava-me eloquente, porque eu não era a vítima. Quando me sentia ameaçado, não me tornava apenas um juiz, mas mais ainda: um senhor irascível que queria, fora de qualquer lei, atacar o delinquente até fazê-lo ficar de joelhos. Depois disso, meu caro compatriota, é muito difícil continuarmos seriamente a nos julgar com uma vocação de justiça e a nos considerar o defensor predestinado da viúva e do órfão.

Já que a chuva aumenta e temos tempo, atrevo-me a lhe contar uma nova descoberta que fiz, pouco depois, em minha memória. Sentemo-nos, ao abrigo da chuva, neste banco. Há séculos que os fumantes de cachimbo contemplam aqui esta mesma chuva que cai sobre o mesmo canal. O que eu tenho para contar-lhe é um pouco mais difícil. Trata-se, desta vez, de uma mulher. É preciso que se saiba, antes de tudo, que sempre tive êxito com as mulheres, e sem grande esforço. Não me refiro ao êxito em fazê-las felizes, nem sequer em fazer-me feliz através delas. Não; ter êxito, simplesmente. Eu era bem-sucedido, mais ou menos quando queria. Achavam que eu tinha um certo charme, imagine! Sabe o que é isto: uma maneira de ouvir sim como resposta, sem ter feito uma pergunta clara. Assim era comigo, na época. Surpreende-se? Vamos, não negue. Com a cara que Deus me deu, é muito natural. Ai de mim! Depois de uma certa idade, todo homem é responsável pelo seu rosto. O meu... Mas, que importa! O fato é que viam em mim um certo encanto, e eu me aproveitava disso.

Não o fazia, contudo, de forma calculista; agia de boa-fé, ou quase. O meu relacionamento com as mulheres era natural, descontraído, fácil, como se diz. Não havia astúcia alguma, ou então, apenas aquela maneira ostensiva, que elas consideram como uma homenagem. Amava-as, segundo a expressão consagrada, e que é o mesmo que dizer que nunca amei nenhuma. Sempre achei a misoginia vulgar e tola, e quase todas as mulheres que conheci, julguei-as sempre melhores do que eu. No entanto, ao colocá-las tão alto, utilizei-me delas mais vezes do que as servi. Como entender isto?

Bem entendido, o verdadeiro amor é excepcional, dois ou três em cada século, mais ou menos. No resto do tempo, há a vaidade ou o tédio. Quanto a mim, em todo caso, eu não era a Religiosa portuguesa. Não tenho o coração seco, longe disso, mas, pelo contrário, cheio de ternura, e mais, tenho a lágrima sempre fácil. Só que meus impulsos sentimentais se voltam sempre para mim e os meus enternecimentos dizem respeito a mim. Não é verdade, afinal, que eu nunca tenha amado. Tive na minha vida pelo menos um grande amor, de que fui sempre eu o objeto. Sob este aspecto, depois dos inevitáveis problemas da juventude, depressa tinha me decidido: a sensualidade, e só ela, imperava na minha vida amorosa. Buscava sempre objetos de prazer e de conquista. Era, aliás, ajudado pelo meu físico: a natureza foi generosa comigo. E não me orgulhava pouco disso, extraindo daí muitas satisfações que já não saberia dizer se eram de prazer ou de prestígio. Bom, o senhor vai dizer que ainda estou me vangloriando. Não nego nem me orgulho menos pelo fato de nisto estar me vangloriando do que é verdade.

Em cada caso, minha sensualidade, para só falar dela, era tão real que, mesmo por uma ventura de dez minutos, eu renegaria pai e mãe, mesmo se tivesse de lamentá-lo amargamente. Que digo eu! Sobretudo por uma aventura de dez minutos, e mais ainda, se eu tivesse a certeza de que ela não teria futuro. Eu tinha princípios, é claro; por exemplo: a mulher dos amigos era sagrada. Simplesmente, eu deixava, com toda sinceridade, alguns dias antes, de ter amizade pelos maridos. Por acaso, não deveria chamar a isto de sensualidade? A sensualidade em si não é repugnante. Sejamos indulgentes e falemos de enfermidade, de uma espécie de incapacidade congênita de ver no amor qualquer coisa mais que o ato. Esta enfermidade, afinal, era confortável. Conjugada com minha faculdade de esquecimento, favorecia minha liberdade. Ao mesmo tempo, por um certo ar de distanciamento e de independência irredutível que me dava, propiciava-me oportunidades para novos êxitos. À força de não ser romântico, eu dava um sólido alimento ao romanesco. As nossas amigas, com efeito, têm isto de comum com Bonaparte, pensam sempre ter êxito no que todo mundo fracassou.

Nestas relações, aliás, eu satisfazia ainda outra coisa, além da minha sensualidade: o meu amor pelo jogo. Eu amava nas mulheres as parceiras de um certo jogo, que tinha, pelo menos, o sabor da inocência. Veja bem, não consigo suportar o tédio e só aprecio na vida as diversões. Toda companhia, mesmo brilhante, me oprime rapidamente, ao passo que nunca me entediei com as mulheres que me agradavam. Custa-me confessá-lo, mas trocaria dez entrevistas com Einstein por um primeiro encontro com uma bela figurante. É verdade que, no décimo encontro, eu suspirava por Einstein ou por profundas leituras. Em suma, nunca me preocupei com os grandes problemas, a não ser nos intervalos dos meus pequenos desregramentos. E quantas vezes, numa conversa de esquina, em meio a uma discussão acalorada com amigos, perdi o fio do raciocínio que me expunham, porque uma mulher deslumbrante atravessava a rua naquele momento.

Por conseguinte, eu entrava no jogo. Sabia que elas gostavam que não se chegasse muito depressa ao fim. Antes de tudo, era preciso conversa, ternura, como elas dizem. Quanto a discursos, não me faltavam, sendo advogado, nem olhares, pois no serviço militar tinha sido artista amador. Mudava muitas vezes de papel, mas tratava-se sempre da mesma peça. Por exemplo, o número da atração incompreensível, do "não sei o quê", do "não há razões", "eu não desejava ser atraído, estava, no entanto, cansado do amor etc." era sempre eficaz, se bem que seja dos mais velhos do repertório. Havia também o da felicidade misteriosa, que nenhuma outra mulher jamais nos deu, que talvez não tenha futuro, com toda a certeza (pois todo cuidado é pouco), mas que, precisamente, é insubstituível. Sobretudo, eu tinha aperfeiçoado uma pequena tirada, sempre bem-recebida, e que o senhor aplaudirá, estou certo disso. O essencial desta tirada prendia-se à afirmação, dolorosa e resignada, de que eu não era nada, não valia a pena ligar-se a mim, a minha vida estava em outro lugar, passava ao largo da felicidade de todos os dias, felicidade que talvez eu preferisse a todo o resto, mas, enfim, era tarde demais. Sobre as razões deste atraso decisivo, eu guardava segredo, pois sabia que era melhor dormir com o mistério. Em certo sentido, aliás, acreditava no que dizia, vivia o meu papel. Não é de admirar, portanto, que também as minhas parceiras desempenhassem com muito entusiasmo o papel delas. As mais sensíveis das minhas amiguinhas esforçavam-se por me compreender e este esforço levava-as a melancólicos abandonos. As outras, satisfeitas por verem que eu respeitava as regras do jogo e tinha a delicadeza de falar antes de agir, passavam, sem esperar, às realidades. Então, ganhava duplamente, pois, além do desejo que sentia por elas, satisfazia o amor que eu me dedicava, ao verificar a cada vez os meus belos poderes.

Tanto isso é verdade, que, mesmo se acontecesse de algumas não me proporcionarem senão um prazer medíocre, vez por outra eu tratava de reatar com elas, sem dúvida, animado por este desejo singular que é favorecido pela ausência, seguida de uma cumplicidade de súbito reencontrada, mas também para verificar que os nossos laços ainda se mantinham, e que só a mim competia estreitá-los. Às vezes, chegava mesmo a ponto de lhes fazer jurar que não pertenceriam a nenhum outro homem, para aplacar de uma vez para sempre as minhas inquietações sobre este ponto. O coração, porém, não tinha papel nenhum nesta inquietação, nem a imaginação tampouco. Uma espécie de pretensão estava, com efeito, tão encarnada em mim que eu tinha dificuldade em imaginar, apesar da evidência, que uma mulher que havia sido minha pudesse alguma vez pertencer a outro. Mas este juramento que elas me faziam, libertava-me ao prendê-las. A partir do momento em que não pertenciam a ninguém, podia então decidir-me a romper com elas, o que, de outra forma, era-me quase sempre impossível. A verificação, no que lhes dizia respeito, estava feita de uma vez por todas, e o meu poder garantido por muito tempo. Curioso, não? No entanto, é assim, meu caro compatriota. Uns gritam: "Ame-me!" Outros: "Não me ame!" Mas uma certa raça, a pior e a mais infeliz: "Não me ame e seja fiel!"

Veja: só que a verificação nunca é definitiva, é preciso recomeçá-la com cada ser. De tanto recomeçar, criam-se hábitos. Logo o discurso nos surge sem pensarmos nele, segue-se o reflexo: encontramo-nos um dia numa situação de possuir sem verdadeiramente desejar. Acredite-me, para certos seres, pelo menos, não possuir aquilo que não se deseja é a coisa mais difícil do mundo.

Foi o que aconteceu um dia, e não adianta dizer quem era ela, senão que, sem verdadeiramente me perturbar, me havia atraído pelo seu ar passivo e ávido. Francamente, foi medíocre, como seria de esperar. Mas eu nunca tive complexos e esqueci rapidamente essa pessoa e não mais tornei a vê-la. Pensava que ela nada percebera e eu nem sequer imaginava que pudesse ter uma opinião. Aliás, o seu ar passivo a isolava do mundo, a meu ver. Algumas semanas depois, porém, soube que confidenciara a alguém as minhas insuficiências. Na hora, tive a sensação de haver sido um pouco enganado; ela não era tão passiva quanto eu pensava, nem lhe faltava percepção para julgar. Depois, dei de ombros e fiz menção de rir. Ri mesmo com vontade; era claro que este incidente não tinha importância. Se existe um terreno em que a modéstia deveria ser regra, não seria a sexualidade, com tudo o que ela tem de imprevisível? Mas não, é ver quem se sai melhor, mesmo na solidão. Apesar do meu dar de ombros, qual foi, de fato, o meu comportamento? Tornei a ver um pouco mais tarde esta mulher, fiz o que era necessário fazer para seduzi-la e voltar a possuí-la verdadeiramente. Não foi muito difícil: elas também não gostam de permanecer com um fracasso. A partir desse instante, sem desejá-lo com muita nitidez, comecei, na verdade, a atormentá-la de todas as maneiras. Abandonava-a e tornava a procurá-la, obrigava-a a entregar-se em horas e lugares impróprios para isso, tratava-a de modo tão brutal, em todas as situações, que acabei por me ligar a ela como imagino que o carcereiro se liga ao seu prisioneiro. E isto até o dia em que, na violenta confusão de um prazer doloroso e forçado, ela prestou homenagem, em voz alta, àquilo que a subjugava. Nesse dia, comecei a afastar-me dela. Depois, esqueci-a.

Concordarei com o senhor, apesar do seu silêncio polido, que esta aventura não é muito brilhante. Medite, no entanto, sobre a sua vida, meu caro compatriota! Remexa a sua memória, talvez encontre alguma história semelhante, que me contará mais tarde. Quanto a mim, quando esta aventura me veio de novo ao espírito, ri outra vez. Mas era um riso diferente, bastante parecido com o que eu tinha ouvido sobre a Pont des Arts. Ria dos meus discursos e das minhas defesas. Aliás, mais ainda das minhas defesas que dos meus discursos às mulheres. A estas, pelo menos, eu pouco mentia. O instinto falava claramente, sem subterfúgios, pela minha atitude. O ato de amor, por exemplo, é uma confissão. Aí o egoísmo grita, ostensivamente, aí a vaidade se exibe ou, então, aí se revela a verdadeira generosidade. Finalmente, nesta lamentável história, melhor ainda que nas minhas outras intrigas, eu tinha sido mais franco do que pensava, tinha dito quem era e como podia viver. Apesar das aparências, eu era, portanto, mais digno na minha vida privada, e, sobretudo, quando me comportava como lhe contei, do que nas minhas grandes tiradas profissionais sobre a inocência e a justiça. Pelo menos, ao me ver lidar com os seres, eu não podia me enganar quanto à verdade da minha natureza. Nenhum homem é hipócrita nos seus prazeres, será que li isto, ou tê-lo-ei pensado, meu caro compatriota?

Assim, quando analisava a dificuldade que tinha de me separar definitivamente de uma mulher, dificuldade que me levava a tantas ligações simultâneas, eu não acusava a ternura do meu coração. Não era ela que me fazia agir, quando uma das minhas amiguinhas se cansava de esperar o Austerlitz da nossa paixão e falava em retirar-se.

Era eu que imediatamente dava um passo à frente, que cedia, que me tornava eloquente. A ternura e a doce fraqueza de um coração, eu as despertava nelas, sentindo eu próprio apenas as suas aparências, simplesmente um pouco excitado por esta recusa e também alarmado com a possível perda de uma afeição. Às vezes, é bem verdade, acreditava sofrer realmente. Bastava, no entanto, que a rebelde partisse de fato, para que eu a esquecesse sem esforço, assim como a esquecia junto de mim, quando, pelo contrário, ela tinha decidido voltar. Não, não era o amor nem a generosidade que me despertavam, quando estava em perigo de ser abandonado, mas apenas o desejo de ser amado e de receber o que, no meu entender, me era devido. Uma vez amado e a minha companheira de novo esquecida, eu resplandecia, estava no meu melhor possível, tornava-me simpático.

Observe, aliás, que eu começava a sentir o peso desta afeição, uma vez reconquistada. Então, nos meus momentos de irritação, dizia a mim mesmo que a solução ideal seria a morte para a pessoa que me interessava. Esta morte teria fixado definitivamente a nossa ligação, por um lado, e, por outro, ter-lhe-ia tirado o seu constrangimento. Mas não se pode desejar a morte de todo mundo nem, em última instância, despovoar o planeta para gozar uma liberdade de outra maneira inconcebível. A isso se opunha a minha sensibilidade e o meu amor pelos homens.

O único sentimento profundo que me ocorreu experimentar nestas relações era a gratidão, quando tudo corria bem e me deixavam, ao mesmo tempo que a paz, a liberdade de ir e vir, nunca tão gentil e alegre com uma como quando acabava de deixar a cama de outra, como se estendesse a todas as outras mulheres a dívida que acabava de contrair com uma delas. Qualquer que fosse, aliás, a confusão aparente dos meus sentimentos, o resultado que eu obtinha era claro: conservava todas as minhas afeições à minha volta para utilizá-las quando quisesse. Portanto, confesso que não conseguia viver, a não ser com a condição de, sobre a terra inteira, todos os seres, ou o maior número possível deles, se voltarem para mim, eternamente disponíveis, privados de vida independente, prontos a atender ao meu chamado, a qualquer momento, fadados, enfim, à esterilidade, até o dia em que me dignasse a favorecê-los com a minha luz. Em resumo, para viver feliz, era preciso que os seres que eu elegesse não vivessem. Só deviam receber a vida, uma vez ou outra, a meu bel-prazer.

Ah! Não sinto nenhum prazer especial, acredite-me, em contar-lhe isto. Quando penso neste período em que eu pedia tudo, sem nenhuma compensação da minha parte, em que mobilizava tantos seres para me servir, em que os colocava, de certo modo, na geladeira, para um dia ou outro tê-los à mão conforme a minha conveniência, não sei que nome dar ao curioso sentimento que me invade. Não será vergonha? A vergonha, diga-me meu caro compatriota, ela não queima um pouco? Sim? Então, talvez se trate dela ou de um desses sentimentos ridículos, que dizem respeito à honra. Parece-me, em todo caso, que este sentimento nunca mais me largou desde aquela aventura, que eu encontrei no centro da minha memória e cuja narração não posso adiar mais, apesar das minhas digressões e dos esforços de uma inventiva à qual, espero, fará justiça.

Olhe, a chuva parou! Tenha a bondade de me acompanhar até minha casa. Estou cansado, estranhamente, não por ter falado muito, mas à simples ideia do que ainda preciso contar. Vamos! Bastarão algumas palavras para descrever a minha descoberta essencial. Aliás, para que dizer mais? Para que a estátua se desnude, os belos discursos devem alçar voo. Vejamos. Naquela noite, em novembro, dois ou três anos antes da noite em que julguei ouvir rir às minhas costas, eu voltava para a margem esquerda, para casa, pela Pont Royal. Passava uma hora da meia-noite, caía uma chuva miúda, mais uma garoa, que dispersava os raros transeuntes. Acabava de deixar uma amiguinha que, com certeza, já estava dormindo. Sentia-me bem com esta caminhada, um pouco entorpecido, o corpo acalmado, irrigado por um sangue suave como a chuva que caía. Na ponte, passei por detrás de uma forma debruçada sobre o parapeito e que parecia olhar o rio. De mais perto, distingui uma mulher nova e esguia, vestida de preto. Entre os cabelos escuros e a gola do casaco, via-se apenas uma nuca, fresca e molhada, que me sensibilizou. Mas segui meu caminho, depois de uma hesitação. No fim da ponte, peguei o cais, em direção a Saint-Michel, onde eu morava. Já havia percorrido uns cinquenta metros, mais ou menos, quando ouvi o barulho de um corpo que cai na água e que, apesar da distância, no silêncio da noite, me pareceu grande. Parei na hora, mas sem me voltar. Quase imediatamente, ouvi um grito várias vezes repetido, que descia também o rio e depois se extinguiu bruscamente. O silêncio que se seguiu na noite paralisada pareceu-me interminável. Quis correr e não me mexi. Acho que tremia de frio e de emoção. Dizia a mim mesmo que era preciso agir rapidamente e sentia uma fraqueza irresistível invadir-me o corpo. Esqueci-me do que pensei então. "Tarde demais, longe demais...", ou algo do gênero. Escutava ainda, imóvel. Depois, afastei-me sob a chuva, às pressas. Não avisei ninguém.

Mas já chegamos, eis a minha casa, o meu refúgio! Amanhã? Sim, como queira. Levá-lo-ei com prazer à ilha de Marken, verá o Zuyderzee. Esteja às onze horas no Mexico-City. O quê? A tal mulher? Ah, na verdade não sei, não sei. Não li os jornais do outro dia, nem dos dias seguintes.

4

Uma aldeia de boneca, não acha? O pitoresco não lhe foi poupado. Mas eu não o trouxe a esta ilha, meu caro amigo, devido ao pitoresco. Todo mundo pode levá-lo a admirar as toucas, os tamancos e as casas decoradas, onde os pescadores fumam tabaco em meio a um cheiro de encáustica. Eu sou, pelo contrário, uma das raras pessoas que podem mostrar-lhe o que existe de importante aqui.

Chegamos ao dique. Temos de segui-lo, para ficarmos o mais longe possível destas casas por demais graciosas. Sentemo-nos, por favor. Que me diz? Aqui temos, não acha, a mais bela das paisagens negativas? Veja, à nossa esquerda, aquele monte de cinzas, a que chamam aqui de duna, o dique cinzento à direita, a margem arenosa lívida a nossos pés, e à nossa frente, o mar com a cor esmaecida de espuma, o vasto céu onde se refletem as águas pálidas. Um inverno amorfo, na verdade! Nada mais do que linhas horizontais, nenhum brilho, o espaço é incolor, a vida morta. Não será a retração universal, o nada sensível aos nossos olhos? Nenhum ser humano, sobretudo, nenhum ser humano. O senhor e eu apenas, diante do planeta enfim deserto! O céu vive? Tem razão, caro amigo. Torna-se denso, depois aprofunda-se, abre-se em escadarias de ar, fecha portas de bruma. São as pombas. Não reparou que o céu da Holanda está cheio de milhões de pombas, invisíveis por voarem tão alto, e que batem as asas, sobem e descem num movimento único, enchendo o espaço celeste com ondas espessas de penas acinzentadas, que o vento leva ou traz? As pombas esperam lá em cima, esperam o ano todo. Fazem evoluções acima da terra, olham, desejariam descer. Mas não há nada, além do mar e dos canais, telhados cobertos de insígnias, e nenhuma cabeça onde pousar.

Não compreende o que quero dizer? Confesso-lhe o meu cansaço. Perco o fio dos meus relatos, já não possuo aquela clareza de espírito à qual os meus amigos se compraziam em prestar homenagem. Digo amigos, aliás, por princípio. Não tenho mais amigos, só tenho cúmplices. Em compensação, o seu número aumentou, são o gênero humano. E, do gênero humano, o senhor é o primeiro. O que está presente é sempre o primeiro. Como sei que não tenho amigos? É muito simples: eu o descobri no dia em que pensei em matar-me para lhes pregar uma boa peça, para puni-los, de certa forma. Mas punir quem? Alguns ficariam surpreendidos; ninguém se sentiria punido. Compreendi que não tinha amigos. Além disso, mesmo se os tivesse, não adiantaria nada. Se eu pudesse suicidar-me e ver em seguida a cara deles, então, sim, valeria a pena. Mas a terra é obscura, caro amigo, a madeira espessa, opaca a mortalha. Os olhos da alma, sim, sem dúvida, se há uma alma e se é que ela tem olhos! Mas aí está, não se tem certeza, nunca se tem certeza. Senão, haveria uma saída, poderíamos, finalmente, fazer com que nos levassem a sério. Os homens só se convencem das nossas razões, da nossa sinceridade e da gravidade de nossos sofrimentos, com a nossa morte. Enquanto estivermos vivos, o nosso caso é duvidoso, só temos direito ao seu ceticismo. Se houvesse, então, uma única certeza de podermos gozar o espetáculo, valeria a pena provar-lhes o que eles não querem crer e deixá-los assombrados. Mas uma pessoa se mata, e que importa se eles acreditam ou não? Não estamos presentes para colher os frutos do seu espanto e de sua contrição, aliás efêmera; assistir, enfim, segundo o sonho de cada homem, ao próprio funeral. Para deixar de ser duvidoso é preciso, pura e simplesmente, deixar de ser.

Aliás, não será melhor assim? Sofreríamos demais com a sua indiferença. "Vai pagar-me por isso!", dizia uma moça ao pai que a impedira de se casar com um pretendente por só andar bem penteado. E ela se matou. Mas o pai não pagou absolutamente nada. Ele adorava pescar. Três domingos depois, voltou ao rio, para se esquecer, segundo dizia. Calculou certo, pois esqueceu. A bem dizer, o inverso é que teria causado surpresa. Julga-se morrer para punir a mulher e devolve-se a ela a liberdade. É preferível nem ver isso. Sem contar que nos arriscaríamos a ouvir as razões que dariam para o nosso gesto. No que me diz respeito, já consigo ouvi-los: "Matou-se porque não pôde suportar que..." Ah! caro amigo, como os homens são pobres de inventiva! Julgam sempre que nos suicidamos por uma razão. Mas podemos muito bem suicidar-nos por duas razões. Não, isso não lhes entra na cabeça. Para que serve, então, morrer voluntariamente, sacrificar-se à ideia que se quer dar de si mesmo? Uma vez morto, eles se aproveitarão disso para atribuir ao gesto motivos idiotas ou vulgares. Os mártires, caro amigo, têm de escolher entre serem esquecidos, ridicularizados ou usados. Quanto a ser compreendidos, isso, nunca.

E depois, vamos direto ao ponto, eu amo a vida, eis a minha verdadeira fraqueza. Amo-a tanto, que não tenho nenhuma imaginação para o que não for vida. Tal avidez tem algo de plebeu, não acha? A aristocracia não se concebe sem um pouco de distância em relação a si mesma e à própria vida. Morre-se, se for preciso, antes quebrar que dobrar. Mas, eu, eu me dobro, porque continuo a me amar. Olhe, depois de tudo que lhe contei, que acha que me aconteceu? Nojo de mim mesmo? Ora!, convenhamos, era sobretudo dos outros que eu estava enojado. É claro, eu conhecia as minhas fraquezas e as lamentava. Continuava, no entanto, a esquecê-las, com uma obstinação bastante meritória. O processo dos outros, pelo contrário, tramitava incessantemente no meu coração. Isto o choca, certamente? Pensa talvez que não é lógico? Mas o problema não é o de permanecer lógico. O problema é contornar, e sobretudo, oh, sim, sobretudo, o problema é evitar o julgamento. Não digo evitar o castigo. Porque o castigo sem julgamento é suportável. Ele tem, aliás, um nome que garante a nossa inocência: a infelicidade. Não, pelo contrário, trata-se de fugir ao julgamento, de evitar ser continuamente julgado, sem que jamais a sentença seja pronunciada.

Mas não se foge assim tão facilmente. Hoje em dia, estamos sempre prontos para o julgamento, assim como para fornicação. Com a diferença de que não há fraquezas a temer. Se duvida disso, fique de ouvido nas conversas de mesa, durante o mês de agosto, nesses hotéis de veraneio, onde os nossos caridosos compatriotas vêm fazer a sua cura de tédio. Se ainda hesita em tirar uma conclusão, leia então os escritos dos nossos grandes homens do momento. Ou, ainda, observe sua própria família, será elucidativo. Meu caro amigo, não demos pretexto para nos julgarem, por pouco que seja! Caso contrário, nos deixam em pedaços. Somos obrigados às mesmas precauções que o domador. Se ele tem a infelicidade, antes de entrar na jaula, de cortar-se com a navalha, que banquete para as feras! Compreendi isso num relance, no dia em que me ocorreu a suspeita de que, talvez, eu não fosse tão digno de admiração. A partir de então, passei a ser desconfiado. Já que sangrava um pouco, estava totalmente perdido: iam devorar-me.

As minhas relações com os meus contemporâneos eram, na aparência, as mesmas e, no entanto, tornavam-se sutilmente desafinadas. Meus amigos não tinham mudado. Louvavam ainda, na primeira oportunidade, a harmonia e a segurança que encontravam junto a mim. Mas eu só era sensível às dissonâncias e à confusão que se apossavam de mim; sentia-me vulnerável e entregue à acusação pública. Os meus semelhantes deixavam de ser, a meus olhos, a plateia respeitosa a que estava habituado. O círculo, do qual eu era o centro, rompia-se, e eles colocavam-se numa única fileira, como no tribunal. A partir do momento em que temi que houvesse em mim qualquer coisa a ser julgada, compreendi, em suma, que havia neles uma vocação irresistível para julgar. Sim, lá estavam, como antes, mas riam. Ou melhor, parecia-me que cada um daqueles que eu encontrava me olhava com um sorriso disfarçado. Tive mesmo, nessa época, a impressão de que me davam rasteiras. Com efeito, tropecei duas ou três vezes, sem nenhum motivo, ao entrar em lugares públicos. Uma vez, cheguei a estatelar-me no chão. O francês cartesiano que sou procurou logo recompor-se e atribuir estes acidentes à única divindade razoável, isto é, o acaso. Não importa, ainda me restava a desconfiança.

Despertada a minha atenção, não me foi difícil descobrir que tinha inimigos. Na minha profissão, em primeiro lugar, e depois, na minha vida social. A uns, tinha prestado serviços. A outros, deveria tê-los prestado. Tudo isso, em suma, estava na ordem natural das coisas e eu o descobri sem grande mágoa. Em contrapartida, para mim, foi mais difícil e doloroso admitir que tinha inimigos entre pessoas que mal ou nem sequer conhecia. Sempre tinha pensado, com a ingenuidade de que já lhe dei algumas provas, que os que não me conheciam não poderiam deixar de gostar de mim, se tivessem chegado a conviver comigo. Pois bem, nada disso! Encontrei inimizades sobretudo entre os que só me conheciam muito por alto e sem que eu próprio os conhecesse. Suspeitavam, sem dúvida, que eu vivia intensamente e num livre abandono à felicidade; isto não se perdoa. A aparência de sucesso, quando se apresenta de certa maneira, é capaz de irritar um santo. A minha vida, por outro lado, transbordava de compromissos e, por falta de tempo, recusava muitas oportunidades! Esquecia em seguida, pela mesma razão, o que havia recusado. Mas tais oportunidades tinham-me sido oferecidas por pessoas cuja vida não era intensa e que, por esta mesma razão, se lembravam das minhas recusas.

Assim é que, para dar apenas um exemplo, as mulheres, afinal de contas, me custavam caro. O tempo que eu lhes consagrava, não o podia dedicar aos homens, que nem sempre me perdoavam por isso. Como se sair dessa? Não nos perdoam a nossa felicidade, nem o nosso sucesso, a menos que se consinta generosamente em reparti-los. Mas, para ser feliz, é preciso não se envolver demais com os outros. A partir daí, as portas se fecham. Feliz e julgado, ou absolvido e desgraçado. Quanto a mim, a injustiça era maior: eu era condenado por felicidades antigas. Tinha vivido durante muito tempo na ilusão de um acordo geral, ao passo que, de todos os lados, dissolviam-se sobre mim, distraído e sorridente, os juízos, as flechas e as zombarias. A partir do dia em que me dei conta, veio-me a lucidez, recebi todos os ferimentos ao mesmo tempo e perdi de uma só vez as minhas forças. Todo o universo pôs-se, então, a rir à minha volta.

Eis o que nenhum homem (exceto os que não vivem, quero dizer os sábios) consegue suportar. A única defesa está na maldade. As pessoas apressam-se, então, a julgar, para elas próprias não serem julgadas. Que quer? A ideia mais natural para o homem, a que lhe surge ingenuamente, como no fundo da sua natureza, é a ideia da sua inocência. Sob este aspecto, somos todos como aquele francesinho que, em Buchenwald, teimava em querer apresentar uma reclamação ao escrivão, prisioneiro como ele, que registrava a sua chegada. Uma reclamação? O escrivão e os seus colegas riam: "Inútil, meu velho. Aqui, não se reclama." "Mas, veja bem, meu senhor", dizia o francesinho, "o meu caso é excepcional. Sou inocente!"

Somos todos casos excepcionais. Todos queremos recorrer de qualquer coisa! Cada qual exige ser considerado inocente, a todo custo, mesmo que para isso seja preciso acusar o gênero humano e o céu. Daremos uma alegria medíocre a um homem, se lhe elogiarmos os esforços graças aos quais se tornou inteligente ou generoso. Mas ele exultará se admirarmos a sua generosidade natural. Inversamente, se dissermos a um criminoso que seu erro não decorre da sua natureza, nem do seu caráter, mas de circunstâncias infelizes, ele nos ficará violentamente reconhecido. Durante a defesa, escolherá até mesmo este momento para chorar. No entanto, não há mérito nenhum em ser honesto, nem inteligente, de nascimento! Assim como não se é certamente mais responsável em ser criminoso por natureza do que devido a circunstâncias. Mas estes bandidos querem a absolvição, isto é, a irresponsabilidade e, sem vergonha, extraem justificativas da natureza ou desculpas das circunstâncias, mesmo que sejam contraditórias. O essencial é que sejam inocentes, que as suas virtudes pela graça do nascimento não possam ser postas em dúvida, e que os seus erros, nascidos de uma infelicidade passageira, nunca sejam mais do que provisórios. Já lhe disse, trata-se de fugir ao julgamento. Como é difícil fugir ao julgamento, e melindroso fazer, a um só tempo, admirar e desculpar a própria natureza, todos eles procuram ser ricos. Por quê? O senhor já se perguntou isso alguma vez? Pelo poder, certamente. Mas, sobretudo, porque a riqueza nos livra do julgamento imediato, nos retira da multidão do metrô para nos encerrar numa carroceria toda niquelada, nos isola em vastos jardins particulares, carros-leitos, camarotes de luxo. A riqueza, caro amigo, não é ainda a absolvição, mas uma suspensão de pena, sempre fácil de conseguir...

Sobretudo, não acredite nos seus amigos, quando lhe pedirem que seja sincero com eles. Só anseiam que alguém os mantenha no bom conceito que fazem de si próprios, ao lhes fornecer uma certeza suplementar, que extrairão da sua promessa de sinceridade. Como poderia a sinceridade ser uma condição da amizade? O gosto pela verdade a qualquer preço é uma paixão que nada poupa e a que nada resiste. É um vício, às vezes um conforto, ou um egoísmo. Portanto, se o senhor se encontrar neste caso, não hesite: prometa ser verdadeiro e minta o melhor que puder. Atenderá ao profundo desejo deles e provará duplamente a sua afeição.

Tanto isto é verdade que raramente nos abrimos com quem é melhor do que nós. De preferência, fugiríamos a esse convívio. Na maioria das vezes, pelo contrário, confessamo-nos aos que se parecem conosco e que partilham das nossas fraquezas. Não desejamos, pois, nos corrigir, nem melhorar: seria preciso, antes de tudo, que fôssemos julgados fracos. Apenas desejamos ser lastimados e encorajados no nosso caminho. Em suma, desejaríamos ao mesmo tempo deixar de ser culpados e não fazer esforço para nos purificarmos. Sem cinismo suficiente e sem virtude suficiente. Não temos nem a energia do mal, nem a do bem. Conhece Dante? É mesmo? Que diabo! Sabe, então, que Dante admite anjos neutros na disputa entre Deus e Satã. E coloca-os no Limbo, uma espécie de vestíbulo do seu inferno. Estamos no vestíbulo, caro amigo.

Paciência? Tem razão, sem dúvida. Precisaríamos ter a paciência de esperar pelo Juízo Final. Mas não, temos pressa. Tanta pressa que até fui obrigado a me fazer juiz-penitente. No entanto, primeiro tive que me acomodar às minhas descobertas e fazer um acerto com o riso dos meus contemporâneos. A partir da noite em que fui chamado, pois fui realmente chamado, tive que responder ou, pelo menos, procurar a resposta. Não era fácil; vaguei por muito tempo. Foi preciso, antes de tudo, que aquele riso perpétuo e os que riam me ensinassem a ver claro dentro de mim mesmo, a descobrir, enfim, que eu não era simples. Não sorria, esta verdade não é tão primeira quanto parece. Chamam-se verdades primeiras as que descobrimos depois de todas as outras, é tudo.

O certo é que, depois de longos estudos sobre mim mesmo, concebi a duplicidade profunda da criatura. Compreendi, então, à força de remexer na memória, que a modéstia me ajudava a brilhar, a humildade a vencer, e a virtude a oprimir. Fazia a guerra por meios pacíficos e obtinha, enfim, pelo desinteresse, tudo o que cobiçava. Por exemplo, nunca me lamentava de terem esquecido a data do meu aniversário; as pessoas chegavam a se surpreender, com uma ligeira dose de admiração, da minha discrição no caso. Mas a razão do meu desinteresse era ainda mais discreta: eu desejava ser esquecido para poder lamentar-me disso a mim mesmo. Vários dias antes da data, entre todas gloriosa, que eu conhecia bem, ficava à espreita, atento para nada deixar escapar que pudesse despertar a atenção e a memória daqueles com cuja falha eu contava (não tive um dia a intenção de alterar um calendário?). Uma vez bem demonstrada a minha solidão, podia então entregar-me aos encantos de uma tristeza viril.

A face de todas as minhas virtudes tinha assim um reverso menos imponente. É bem verdade que, em outro sentido, os meus defeitos revertiam em meu benefício. A obrigação em que me encontrava de esconder a parte viciosa da minha vida dava-me, por exemplo, um ar de frieza que se confundia com o da virtude, a minha indiferença proporcionava-me ser amado, o meu egoísmo culminava nas minhas liberalidades. Paro aqui: o excesso de simetria prejudicaria minha demonstração. Mas — nada disso — fazia-me de duro e nunca consegui resistir ao oferecimento de um copo nem de uma mulher! Passava por ser ativo, enérgico, e o meu reino era a cama. Apregoava a minha lealdade e acho que não há entre os seres que amei um único que, afinal, eu não tenha também traído. É certo que as minhas traições não impediam a minha fidelidade, eu liquidava um trabalho considerável à força de indolência, nunca deixei de ajudar o próximo, graças ao prazer que encontrava nisso. Mas em vão me repetia estas evidências, só tirava delas consolos superficiais. Certas manhãs, fazia a instrução do meu processo até o fim e chegava à conclusão de que eu primava sobretudo no desprezo. Aqueles mesmos que eu ajudava com mais frequência eram os mais desprezados. Com cortesia, com uma solidariedade cheia de emoção, cuspia todos os dias na cara de todos os cegos.

Francamente, haverá uma desculpa para isto? Existe uma, mas tão esfarrapada que não posso pensar em fazê-la prevalecer. Em todo caso, é esta: nunca consegui acreditar profundamente que os assuntos humanos fossem coisas sérias. Onde estava a seriedade, isso eu não sabia, a não ser que não estava em tudo aquilo que via e que me parecia unicamente um jogo divertido ou importuno. Há, na verdade, esforços e convicções que nunca compreendi. Eu olhava sempre com um ar de espanto e com um pouco de suspeita aquelas estranhas criaturas que morriam por dinheiro e se desesperavam com a perda de uma "situação" ou se sacrificavam com grande ostentação pela prosperidade da família. Eu compreendia melhor aquele amigo que tinha decidido nunca mais fumar e que, pela força de vontade, fora bem-sucedido. Certa manhã, abriu o jornal, leu que a primeira bomba H havia explodido, informou-se sobre os seus admiráveis efeitos e entrou sem demora numa tabacaria.

Sem dúvida, às vezes, eu fingia levar a vida a sério. Mas, bem depressa, o que havia de frívolo na própria seriedade evidenciava-se a mim e eu continuava apenas a desempenhar meu papel da melhor forma que podia. Representava o eficiente, o inteligente, o virtuoso, o patriota, o indignado, o indulgente, o solidário, o edificante... Em suma, paro por aqui, o senhor já deve ter compreendido que eu era como os meus holandeses, que estão presentes sem estar: eu estava ausente no momento em que ocupava o máximo de espaço. Só fui verdadeiramente sincero e entusiasta no tempo em que praticava esportes e na tropa, quando representava nas peças que encenávamos, para nossa diversão. Havia nos dois casos uma regra do jogo, que não era séria, e nos divertíamos em considerar como tal. Ainda agora, as partidas do domingo num estádio superlotado e o teatro, que amei com uma paixão sem igual, são os únicos lugares no mundo em que me sinto inocente.

Mas quem admitiria que semelhante atitude possa ser legítima, quando se trata do amor, da morte e do salário dos miseráveis? Que fazer, no entanto? Eu só imaginava os amores de Isolda nos romances ou num palco. Os moribundos pareciam-me, às vezes, compenetrados do seu papel. As réplicas dos meus clientes pobres pareciam-me sempre restringir-se à mesma cantilena. A partir daí, vivendo entre os homens sem compartilhar dos seus interesses, não conseguia acreditar nos compromissos que assumia. Era suficientemente educado, e suficientemente indolente, para corresponder ao que esperavam de mim na minha profissão, na minha família ou na minha vida de cidadão, mas todas as vezes, com uma espécie de distração, que acabava por estragar tudo. Vivi minha vida inteira sob um duplo signo e as minhas atividades mais sérias foram, muitas vezes, aquelas em que me sentia menos comprometido. Afinal, não seria isso que, para agravar as minhas asneiras, não consegui me perdoar, que me fez resistir com o máximo de violência contra o julgamento que eu sentia em ação, em mim e ao meu redor, e que me obrigou a procurar uma saída?

Durante algum tempo, e aparentemente, minha vida continuou como se nada houvesse mudado. Estava nos eixos e rodava normalmente. Como se fosse de propósito, redobravam os elogios à minha volta. O mal veio precisamente daí. Lembra-se? "Ai de vós quando todos os homens vos louvarem!" Ah, aquele falava muito bem! Ai de mim! A máquina passou então a ter caprichos, paradas inexplicáveis.

Foi nesse momento que o pensamento da morte irrompeu na minha vida diária. Contava os anos que me separavam do meu fim. Buscava exemplos de homens da minha idade que já tivessem mortos. E me atormentava a ideia de que não teria tempo de realizar a minha tarefa. Que tarefa? Eu nem sabia. Para falar com franqueza, valeria a pena continuar a fazer o que eu fazia? Mas não era exatamente isso. Perseguia-me, com efeito, um temor ridículo: não se podia morrer sem ter confessado todas as mentiras. Não a Deus, nem a um de seus representantes, eu estava acima disso, como o senhor pode imaginar. Não, tratava-se de confessá-lo aos homens, a um amigo, ou a uma mulher amada, por exemplo. De outra forma, e mesmo que houvesse uma única mentira oculta numa vida, a morte tornava-a definitiva. Nunca mais ninguém conheceria a verdade sobre este ponto, já que a única pessoa que a conhecia era precisamente o morto, adormecido sobre o seu segredo. Este assassinato absoluto de uma verdade me desnorteava. Hoje, ao contrário, diga-se de passagem, me daria refinados prazeres. A ideia, por exemplo, de que sou o único a conhecer o que todo mundo busca e de que tenho em minha casa um objeto que movimentou em vão três aparatos policiais é puramente deliciosa. Mas deixemos isso de lado. Na época, não tinha descoberto a receita e me atormentava.

Eu reagia, é claro. Que importava a mentira de um homem na história das gerações, e que pretensão querer trazer à luz da verdade um mísero embuste, perdido no oceano das idades como o grão de sal no mar! Dizia, também, a mim mesmo, que a morte do corpo, se fosse julgar pelas que eu havia presenciado, era, em si, um castigo suficiente e que tudo absolvia. Ganhava-se, com isso, a salvação (quer dizer, o direito de desaparecer definitivamente) com suor da agonia. Não importava, o mal-estar crescia, a morte mantinha-se fiel à minha cabeceira, eu me levantava com ela, e os elogios tornavam-se cada vez mais insuportáveis para mim. Parecia-me que a mentira aumentava com eles, tão desmesuradamente que nunca mais conseguiria me recompor.

Chegou um dia em que não aguentei mais. A minha primeira reação foi confusa. Já que era mentiroso, ia manifestá-lo e atirar a minha duplicidade na cara de todos estes imbecis, antes mesmo que a descobrissem. Intimado pela verdade, responderia ao desafio. Para me precaver contra o riso, imaginei então lançar-me à zombaria geral. Em suma, tratava-se ainda de fugir ao julgamento. Queria colocar do meu lado os que riam ou, pelo menos, colocar-me ao lado deles. Pensava, por exemplo, em dar empurrões em cegos na rua, e, pela alegria surda e imprevista que isto me dava, descobria até que ponto uma parte da minha alma os detestava: planejava furar os pneus das cadeiras de rodas dos aleijados, e ir gritar "trabalha, vagabundo" debaixo dos andaimes onde estavam os operários, esbofetear bebês no metrô. Sonhava com isso tudo e nada fiz ou, se fiz alguma coisa parecida, esqueci. O certo é que a própria palavra justiça me deixava fora de mim. Eu continuava, forçosamente, a utilizá-la nas minhas defesas. Mas vingava-me ao amaldiçoar publicamente o espírito de humanidade; anunciava a publicação de um manifesto denunciando a opressão que os oprimidos faziam pesar sobre os homens de bem. Um dia, em que eu comia lagosta no terraço de um restaurante e um mendigo me importunava, chamei o dono para expulsá-lo e aplaudi com estardalhaço as palavras deste justiceiro: "Você está incomodando", dizia ele. "Enfim, coloque-se no lugar destas senhoras e destes senhores!" Eu dizia, também, para quem quisesse ouvir, como lamentava não ser mais possível agir como um proprietário russo, cujo caráter admirava: ele mandava chicotear, da mesma maneira, os camponeses que o saudavam e os que não o saudavam, para castigar uma audácia que ele julgava uma afronta igual nos dois casos.

No entanto, lembro-me de excessos mais graves. Comecei a escrever uma *Ode à Polícia* e uma *Apoteose da Guilhotina*. Sobretudo, obrigava-me a visitar regularmente os cafés especializados, onde se reuniam nossos humanistas profissionais. Naturalmente, meus bons antecedentes faziam com que fosse bem recebido. Lá, sem me fazer notar, deixava escapar um palavrão: "Graças a Deus!", dizia, ou mais simplesmente: "Meu Deus..." Bem sabe como os nossos ateus de roda de bar são comungantes tímidos. Um momento de espanto seguia-se ao enunciado desta enormidade, entreolhavam-se, estupefatos, depois estourava o tumulto, uns fugiam do bar, outros cacarejavam com indignação sem nada ouvir, todos se retorciam em convulsões, como o diabo na água benta.

Deve achar isto pueril. No entanto, talvez houvesse uma razão mais séria para estas brincadeiras. Eu queria perturbar o jogo e sobretudo, sim, destruir esta reputação lisonjeira que, só de pensar, me enchia de furor. "Um homem como o senhor...", diziam-me, com gentileza, e eu empalidecia. Nada mais queria da sua estima, já que não era geral, e como poderia ser geral, uma vez que eu não podia participar dela? Nesse caso, mais valia recobrir tudo, julgamento e estima, com um manto de ridículo. Precisava libertar de qualquer maneira o sentimento que me asfixiava. Para expor aos olhares o que ele tinha no ventre, eu queria despedaçar o belo manequim que apresentava em todos os lugares. Lembro-me, assim, de uma palestra que devia fazer a jovens estagiários de advocacia. Irritado com os incríveis elogios do chefe da Ordem dos Advogados, que me apresentou, não consegui me conter por muito tempo. Tinha começado com o ímpeto e a emoção que esperavam de mim, e que eu não tinha dificuldade nenhuma em acionar automaticamente. Mas, de repente, eu me pus a aconselhar o amálgama como método de defesa. Não o amálgama, dizia eu, aperfeiçoado pelas inquisições modernas, que julgam ao mesmo tempo um ladrão e um homem de bem, para oprimir o segundo com crimes do primeiro. Tratava-se, pelo contrário, de defender o ladrão, pela transposição dos crimes do homem de bem, no caso, o advogado. Expliquei-me com bastante clareza sobre este ponto:

"Suponhamos que tenha aceitado defender algum comovente cidadão, assassino por ciúme. Considerem, senhores jurados, diria eu, o que pode haver de venial em nos enchermos de ira ao ver a própria bondade natural posta à prova pela malignidade do sexo. Não será mais grave, pelo contrário, encontrar-me deste lado do tribunal, no meu próprio banco, sem nunca ter sido bom, nem sofrer por ter sido logrado. Sou livre, isento dos vossos rigores, e, no entanto, quem sou eu? Um cidadão-sol quanto ao orgulho, um bode de luxúria, um faraó na cólera, um rei de preguiça. Não matei ninguém? Ainda não, sem dúvida! Mas não deixei morrer criaturas dignas? Talvez. E talvez esteja pronto a recomeçar. Enquanto aquele, olhem bem para ele, não recomeçará. Ainda está todo cheio de espanto por ter trabalhado tão bem." Este discurso perturbou um pouco os meus jovens confrades. Ao cabo de um momento, resolveram que era melhor rir. Tranquilizaram-se completamente quando cheguei à minha conclusão, na qual invocava com eloquência a pessoa humana e os seus supostos direitos. O hábito, nesse dia, foi mais forte.

Ao renovar estes rompantes amáveis, consegui somente desnortear um pouco a plateia. Não desarmá-la, nem, sobretudo, me desarmar. O espanto que eu encontrava, geralmente, nos meus ouvintes, o seu embaraço um pouco reticente, bastante parecido com o que o senhor mostra — não, não proteste — não me trouxeram paz alguma. Como vê, não basta acusarmo-nos para sermos declarados inocentes, nesse caso eu seria um cordeiro imaculado. É preciso nos acusarmos de uma certa maneira, que me levou muito tempo para aperfeiçoar e que não descobri antes de me achar no mais completo abandono. Até então, o riso continuou a flutuar à minha volta, sem que meus esforços desordenados conseguissem tirar-lhe o que ele tinha de benevolente, de quase terno, e que me fazia mal.

Mas parece-me que a maré está subindo. O nosso barco não vai demorar a partir, o dia chega ao fim. Olhe, as pombas se juntam lá em cima. Elas se chegam umas de encontro às outras, mal se mexem, e a luz declina. Quer que nos calemos para saborear esta hora um tanto sinistra? Não, eu o interesso? O senhor é muito amável. Além disso, talvez agora eu o interesse de verdade. Antes de me explicar sobre os juízes-penitentes, tenho que lhe falar da libertinagem e do desconforto.

5

Engana-se, meu caro, o barco desliza bem rápido. Mas o Zuyderzee é um mar morto, ou quase. Com suas margens planas, perdidas na bruma, não se sabe onde começa ou acaba. Por isso, singramos sem nenhum ponto de referência, não conseguimos nem calcular nossa velocidade. Avançamos, e nada muda. Não é navegação, é sonho.

No arquipélago grego, eu tinha a impressão oposta. Novas ilhas surgiam incessantemente na linha do horizonte. Seu perfil sem árvores delineava o limite do céu, suas margens rochosas cortavam nitidamente o mar. Não havia confusão; naquela claridade precisa, tudo servia de ponto de referência. E, de ilha em ilha, sem trégua, ainda que se arrastasse no nosso pequeno barco, tinha a impressão de saltar, noite e dia, na crista das pequenas e refrescantes vagas, um caminho cheio de espuma e de risos. Desde então, a própria Grécia navega à deriva em alguma parte de mim mesmo, à beira da minha memória, incansavelmente. Também eu estou à deriva, tornei-me lírico! Peço-lhe, meu caro, faça com que eu pare.

A propósito, conhece a Grécia? Não? Tanto melhor! Pergunto-lhe, o que faríamos lá? Lá, é preciso ter o coração puro. Lá, os amigos passeiam na rua, dois a dois, de mãos dadas! Sim, as mulheres ficam em casa, e veem-se homens maduros, respeitáveis, adornados de bigodes, subir e descer solenemente as ruas com os dedos entrelaçados nos do amigo. Também no Oriente, às vezes? Que seja. Mas, diga-me, me daria a mão nas ruas de Paris? Ora! Estou brincando. Nós, sim, temos boas maneiras, pois a sujeira nos eleva. Antes de nos apresentarmos nas ilhas gregas, teríamos de nos lavar demoradamente. Lá o ar é casto, o mar e o prazer limpos. E nós...

Sentemo-nos em um destes transatlânticos. Que nevoeiro! Eu tinha começado, creio, a falar do desconforto. Sim, vou dizer-lhe do que se trata. Depois de ter me debatido, depois de ter esgotado os meus ares de grande insolência, desanimado com a inutilidade dos meus esforços, decidi abandonar o convívio dos homens. Não, não procurei ilhas desertas, não existem mais. Eu me refugiei unicamente junto às mulheres. Como sabe, elas realmente não são de condenar qualquer fraqueza: elas tentariam, de preferência, humilhar ou abater nossas forças.

Eis por que a mulher é a recompensa, não do guerreiro, mas do criminoso. É seu porto, sua enseada, é no leito da mulher que ele é geralmente preso. Não será a mulher tudo o que nos resta do paraíso terrestre? Desamparado, corri para meu porto natural. Mas já não fazia discursos. Representava ainda um pouco, por hábito; mas a criatividade me faltava. Hesito em confessar, com medo de proferir ainda alguns palavrões: creio efetivamente que nessa época senti a necessidade de um amor. É obsceno, não? No entanto, vivia um sofrimento surdo, uma espécie de privação, que me tornou mais vazio, e me permitiu, meio forçado, meio curioso, assumir alguns compromissos. Já que tinha necessidade de amar e de ser amado, julguei-me apaixonado. Em outras palavras, fiz papel de bobo.

Eu me surpreendia frequentemente a fazer uma pergunta que, como homem vivido, tinha sempre evitado até então. Eu me ouvia perguntar: "Você me ama?" Sabe, é costume responder em casos semelhantes: "E você?" Quando respondia sim, eu me via comprometido além dos meus verdadeiros sentimentos. Se ousava dizer não, eu me arriscava a não mais ser amado, e sofria com isso. Quanto mais o sentimento em que eu esperava encontrar repouso se achava ameaçado, mais o exigia da minha companheira. Eu era levado, portanto, a promessas cada vez mais explícitas e chegava a exigir do meu coração um sentimento cada vez mais vasto. Fui tomado assim de uma falsa paixão por uma encantadora desmiolada tão conhecedora das revistas sentimentais que falava de amor com a segurança e a convicção de um intelectual proclamando a sociedade sem classes. Esta convicção, como não desconhece, é sedutora. Também ensaiei falar de amor e acabei por persuadir a mim mesmo. Pelo menos, até o momento em que se tornou minha amante e que compreendi que as revistas sentimentais que ensinavam a falar de amor não ensinavam a praticá-lo. Depois de ter amado um papagaio, tive de dormir com uma serpente. Procurei, então, em outros lugares o amor prometido pelos livros e que nunca encontrara na vida.

Mas me faltava prática. Havia mais de trinta anos que eu apenas amava a mim mesmo. Como perder um hábito desses? Absolutamente não o perdi e permaneci um espectador da paixão. Então, multipliquei as promessas. Tive amores simultâneos, como já tivera em outros tempos, ligações múltiplas. Acumulei, então, mais desgostos para os outros que no tempo da minha bela indiferença. Já lhe contei que meu papagaio, desesperado, quis deixar--se morrer de fome? Felizmente cheguei a tempo e me resignei a segurar sua mão até que ela encontrasse, de regresso de uma viagem a Bali, o engenheiro de têmporas grisalhas que sua revista preferida já lhe havia descrito. Em todo caso, longe de me sentir enlevado e absorvido pela eternidade, como se diz, na paixão, agravei ainda mais o peso dos meus erros e o meu desalento. Criei tal aversão ao amor que, durante anos, não conseguia ouvir, sem um ranger de dentes, *La vie en rose* ou *A morte de Isolda*. Então, tentei renunciar às mulheres, de certa maneira, e viver em estado de castidade. Afinal, sua amizade deveria bastar-me. Mas isso seria o mesmo que renunciar ao jogo. Afora o desejo, as mulheres me entediavam acima de qualquer expectativa e, visivelmente, também eu lhes causava tédio. Acabou-se o jogo, acabou-se o teatro, eu me encontrava, sem dúvida, com a verdade. Mas a verdade, caro amigo, assusta.

Desesperançado do amor e da castidade, compreendi, enfim, que restava a libertinagem, que substitui muito bem o amor, faz calar os risos, restabelece o silêncio e, sobretudo, confere a imortalidade. Com um certo grau de embriaguez lúcida, deitado, alta noite, entre duas moças, já despido do desejo, a esperança não é mais uma tortura, compreenda, o espírito reina sobre todos os tempos, a dor de viver fica para sempre afastada. Em certo sentido, eu tinha vivido sempre na libertinagem, pois nunca deixei de querer ser imortal. Não seria essa a essência da minha natureza, e também a consequência do grande amor por mim mesmo, de que lhe falei? Sim, eu morria de vontade de ser imortal. Eu me amava demais para desejar que o precioso objeto do meu amor desaparecesse para sempre. Em nosso estado de vigília e em nosso pouco conhecimento, não encontramos razões válidas para que a imortalidade seja conferida a um macaco lascivo; assim, faz-se necessário descobrir substitutos para essa imortalidade. Como eu desejava a vida eterna, dormia com prostitutas e bebia durante noites inteiras. É claro que, de manhã, sentia na boca o gosto amargo da condição de mortal. Mas, durante longas horas, eu havia planado, feliz. Seria ousadia fazer uma confissão? Ainda me lembro com ternura de certas noites em que ia a um cabaré sórdido encontrar-me com uma dançarina que me honrava com os seus favores, e, pela sua glória, cheguei mesmo a brigar, certa noite, com um cafetão presunçoso. Todas as noites, eu desfilava diante do balcão, à luz vermelha e na poeira desse lugar de delícias, mentindo descaradamente e bebendo sem parar. Esperava o romper da alvorada e, enfim, me deixava cair na cama sempre desfeita da minha princesa, que se entregava mecanicamente ao prazer e logo adormecia. O dia vinha docemente iluminar este desastre e eu me sentia elevado, imóvel, numa manhã de glória.

O álcool e as mulheres me proporcionaram, devo confessar, o único consolo de que era digno. Confio-lhe este segredo, caro amigo, e não tenha receio de valer-se dele. Compreenderá, então, que a verdadeira libertinagem é libertadora, porque não impõe qualquer obrigação. Na libertinagem só se possui a si próprio; ela permaneceu, pois, a ocupação preferida dos grandes apaixonados por sua própria pessoa. É uma selva, sem futuro nem passado, e, sobretudo, sem promessas, nem sanção imediata. Os lugares onde ela se exercita são separados do mundo. Deixa-se, ao entrar, tanto o medo como a esperança. A conversa não é obrigatória; o que se vem procurar pode ser obtido sem palavras e, muitas vezes, até sem dinheiro. Ah! Eu lhe peço, deixe-me prestar uma especial homenagem às mulheres desconhecidas e esquecidas que então me ajudaram. Ainda hoje, mistura-se à lembrança que guardei delas algo semelhante a respeito.

Servi-me sempre e sem repressão desta liberação. Viram-me até num hotel, destinado ao que se chama pecado, viver ao mesmo tempo com uma prostituta madura e uma moça da melhor sociedade. Fui o escudeiro galante da primeira e fiz a segunda conhecer algumas realidades. Infelizmente, a prostituta era de natureza por demais burguesa: consentiu depois em escrever as suas memórias para uma revista de confissões muito aberta às ideias modernas. A moça, por sua vez, casou-se para satisfazer aos seus instintos incontroláveis e dar um emprego aos seus notáveis dotes. Não é pequeno, também, o meu orgulho por ter sido recebido, a essa altura, de igual para igual, em uma corporação masculina por demais caluniada. Falarei disso superficialmente: o senhor sabe que até pessoas muito inteligentes saboreiam a glória de poder esvaziar uma garrafa a mais que o vizinho. Eu teria podido, enfim, encontrar a paz e a libertação nesta alegre dissipação. Mas, ainda aí, encontrei um obstáculo em mim mesmo. Foi o fígado, desta vez, e um cansaço tão terrível que ainda não me deixou. Brincamos de imortal mas, ao fim de algumas semanas, já nem sequer sabemos se poderemos nos arrastar até o dia seguinte.

O único proveito desta experiência, quando renunciei às minhas façanhas noturnas, foi que a vida se tornou menos dolorosa. O cansaço que corroía meu corpo permitiu, ao mesmo tempo, a erosão de muitas partes essenciais de mim mesmo. Cada excesso diminui a vitalidade e, portanto, o sofrimento. A libertinagem nada tem de frenético, ao contrário do que se pensa. É apenas um longo sono. Já deve ter notado, o homem que verdadeiramente sofre de ciúmes não tem outra pressa senão a de deitar-se com aquela que, no entanto, julga que o traiu. É claro que querem assegurar-se, mais uma vez, de que o seu precioso tesouro ainda lhes pertence. Querem possuí-lo, como se diz. Mas é também porque, logo a seguir, ficam menos ciumentos. O ciúme físico é um produto da imaginação, ao mesmo tempo que um julgamento que se faz de si mesmo. Atribuímos ao rival os sórdidos pensamentos que tivemos nas mesmas circunstâncias. Felizmente, o prazer excessivo debilita tanto a imaginação quanto o julgamento. Então, o sofrimento dorme com a virilidade e tanto quanto ela. Pelas mesmas razões, os adolescentes perdem, com a primeira amante, sua inquietação metafísica, e certos casamentos, que são uma libertinagem burocratizada, tornam-se, ao mesmo tempo, os monótonos coveiros da audácia e da imaginação. Sim, caro amigo, o casamento burguês colocou nosso país de chinelos e em breve vai levá-lo às portas da morte.

Estou exagerando? Não, mas estou divagando. Queria somente dizer-lhe dos benefícios que tirei desses meses de orgia. Eu vivia em uma espécie de nevoeiro, onde o riso era abafado, e a tal ponto que terminei por não mais percebê-lo. A indiferença, que já ocupava tanto espaço em mim, deixou de encontrar resistência e alastrou a sua esclerose. Chega de emoções! Um humor igual, ou melhor, nenhum humor. Os pulmões tuberculosos se curam quando ressecados, e asfixiam, pouco a pouco, o seu feliz proprietário. O mesmo acontecia comigo, que morria placidamente da minha cura. Eu ainda vivia do meu trabalho, embora minha reputação tivesse sido arranhada pelos meus deslizes de linguagem, e o exercício regular da minha profissão tivesse sido comprometido pela desordem da minha vida. É interessante notar, no entanto, que me culparam menos por meus excessos noturnos que por minhas provocações de linguagem. A referência, puramente verbal, a Deus, que por vezes fazia nas minhas defesas, deixava desconfiados os meus clientes. Receavam, sem dúvida, que o céu não pudesse cuidar tão bem dos seus interesses quanto um advogado imbatível no Código Civil. Daí a concluírem que eu invocava a divindade na medida da minha ignorância, era apenas um passo. Os meus clientes deram esse passo, e começaram a escassear. De tempos em tempos, ainda conseguia uma causa. Por vezes até, esquecendo-me de que já não acreditava no que dizia, defendia-a bem. A minha própria voz arrastava-me e eu a seguia; sem realmente planar, como antigamente, eu elevava-me um pouco acima do chão, e fazia voos rasantes. Enfim, fora do meu trabalho, eu via pouca gente, e mantinha em penosa sobrevivência uma ou duas ligações cansadas. Acontecia até mesmo passar noites de pura amizade, sem que o desejo se intrometesse, apenas com a diferença de que, resignado ao tédio, eu mal escutava o que me diziam. Engordava um pouco, e pude, finalmente, pensar que a crise terminara. Já não se tratava senão de envelhecer.

Um dia, porém, no decurso de uma viagem que ofereci a uma amiga, sem lhe dizer que o fazia para festejar minha cura, encontrei-me a bordo de um transatlântico, na coberta, naturalmente. De repente, divisei ao largo um ponto negro no oceano cor de ferro. Desviei os olhos imediatamente, meu coração começou a bater. Quando me forcei a olhar, o ponto negro havia desaparecido. Ia gritar, chamar estupidamente por socorro, quando voltei a vê-lo. Tratava-se de um daqueles resíduos que os navios deixam atrás de si. No entanto, eu não tinha conseguido suportar a sua visão, havia pensado logo tratar-se de um afogado. Compreendi, então, sem revolta, como nos resignamos a uma ideia, cuja verdade se conhece há muito tempo, e que aquele grito que, anos atrás, havia ressoado às minhas costas no Sena, levado pelo rio em direção às águas da Mancha, não havia deixado de caminhar pelo mundo, através da vastidão ilimitada do oceano, e que tinha me esperado até aquele dia em que o encontrara. Compreendi, também, que ele continuaria a esperar-me nos mares e nos rios, por toda parte, enfim, onde se encontrasse a água amarga do meu batismo. Mesmo aqui, diga-me, não estamos nós sobre a água? Sobre a água plana, monótona, interminável, que confunde os seus limites com os da terra? Como acreditar que vamos chegar a Amsterdã? Nunca mais sairemos desta imensa pia de água benta. Escute! Não ouve os gritos de gaivotas invisíveis? Se gritam na nossa direção, para que então nos chamam?

Mas são as mesmas que gritavam, que chamavam desde o Atlântico, no dia em que compreendi definitivamente que não estava curado, que continuava encurralado e que era preciso me acomodar. Acabara-se a vida gloriosa, mas também a raiva e os sobressaltos. Era preciso submeter-se e reconhecer a culpa. Era preciso viver no desconforto. É verdade, o senhor não conhece aquela cela de masmorra, a que na Idade Média chamavam de "desconforto". Em geral, esqueciam-nos lá para o resto da vida. Esta cela distinguia-se das outras por suas engenhosas dimensões. Não era suficientemente alta para se poder ficar de pé, nem suficientemente larga para se poder deitar. Tinha-se de assumir uma posição encolhida, viver em diagonal; o sono era uma queda; a vigília, acocorada. Meu caro, era engenhoso, e eu peso as minhas palavras, neste achado tão simples. Todos os dias, através do imutável constrangimento que anquilosava o seu corpo, o condenado aprendia que era culpado e que a inocência consiste em poder esticar-se livremente. Pode-se imaginar nesta cela um frequentador das alturas e das cobertas dos navios? O quê? Podia-se viver nesta cela e ser inocente? É impossível, altamente improvável! Ou então, a minha lógica cairia por terra. Que a inocência se veja restrita a viver corcunda, recuso-me a considerar por um único segundo esta hipótese. Além disso, não podemos afirmar a inocência de ninguém, ao passo que podemos afirmar com segurança a culpabilidade de todos. Cada homem é testemunha do crime de todos os outros, eis minha fé e minha esperança.

Acredite-me, as religiões enganam-se, a partir do momento em que pregam a moral e fulminam mandamentos. Não é necessário existir Deus para criar a culpabilidade, nem para castigar. Para isso, bastam os nossos semelhantes, ajudados por nós mesmos. O senhor falava-me do Juízo Final. Permita-me que ria disso respeitosamente. Posso esperá-lo com tranquilidade: conheci o que há de pior, que é o julgamento dos homens. Para eles, não há circunstâncias atenuantes, mesmo a boa intenção é tida como crime. Ouviu ao menos falar da cela de escarros que um povo criou recentemente para provar que era o maior do mundo? É uma caixa de alvenaria, em que o prisioneiro fica de pé, mas sem poder se mexer. A sólida porta que o encerra em sua concha de cimento chega apenas até a altura do queixo. Vê-se, pois, unicamente o seu rosto, no qual todo guarda que passa escarra à vontade. O prisioneiro, espremido na cela, não se pode limpar, ainda que lhe seja permitido, é bem verdade, fechar os olhos. Pois bem, isto, meu caro, é uma invenção dos homens. Não precisaram de Deus para criar esta obra-prima.

E então? Então, a única utilidade de Deus seria garantir a inocência, mas eu vejo a religião antes de tudo como uma grande empresa de lavanderia, o que aliás ela foi, mas por breve tempo, precisamente durante três anos, e não se chamava religião. Desde então, falta sabão, andamos com o nariz sujo e nos assoamos mutuamente. Todos culpados, todos castigados, escarremo-nos e pronto: já para o desconforto. É ver quem escarra primeiro, eis tudo. Vou contar-lhe um grande segredo, meu caro. Não espere pelo Juízo Final. Ele se realiza todos os dias.

Não, não é nada, é que tremo um pouco com esta maldita umidade. Aliás, já chegamos. Muito bem. Primeiro, o senhor, mas fique ainda, eu lhe peço, e acompanhe-me. Ainda não acabei, é preciso continuar. Continuar, eis o que é difícil. Olhe, sabe por que crucificaram o outro, aquele em quem neste momento talvez o senhor pense? Bem, havia muitas razões para isso. Há sempre razões para matar um homem. Inversamente, é impossível justificar que viva. É por isso que o crime encontra sempre advogados, e a inocência, apenas às vezes. Mas, além das razões que muito bem nos explicaram durante dois mil anos, havia uma grande para esta horrível agonia, e não sei por que a escondem tão cuidadosamente. A verdadeira razão é que ele próprio sabia que não era completamente inocente. Se não carregava o peso do erro de que o acusavam, tinha cometido outros, ainda que ignorasse quais fossem. Ignoraria mesmo, aliás? Ele representava a origem, afinal, deve ter ouvido falar de um certo massacre dos inocentes. As crianças da Judeia massacradas, enquanto seus pais o levavam para lugar seguro; por que tinham sido mortas, senão por sua causa? Ele não o desejara, é certo. Esses soldados sangrentos, aquelas crianças cortadas ao meio causavam-lhe horror. Mas, sendo como era, tenho certeza de que não conseguia esquecê-los. E essa tristeza que se adivinha em todos os seus atos não seria a melancolia incurável de quem ouvia ao longo das noites a voz de Raquel, gemendo sobre os seus filhos e recusando qualquer consolo? O lamento ecoava na noite, Raquel chamava os filhos mortos por sua causa e ele estava vivo!

Sabendo o que sabia, conhecendo tudo sobre o homem — ah, quem pensaria que crime não é tanto fazer morrer, mas não se deixar morrer! — confrontado dia e noite com o seu crime inocente, tornava-se muito difícil manter o equilíbrio e continuar. Mais valia terminar, não se defender, morrer, para não mais estar sozinho na vida e para ir-se embora para onde talvez pudesse ser amparado. Não foi amparado, disso se queixou e, para cúmulo, censuraram-no. Sim, foi o terceiro evangelista, creio, que começou a suprimir sua queixa. "Por que me abandonaste?" era um grito subversivo, não acha? Então, tesouras! Note-se, aliás, que se Lucas nada houvesse cortado, a coisa mal teria sido notada; não teria ocupado tanto espaço, em todo caso. Mas o censor é a propaganda do que proscreve. Também a ordem do mundo é ambígua.

O certo é que o próprio censurado não pôde continuar. E eu sei, meu caro, do que falo. Houve um tempo em que eu ignorava a cada minuto como poderia chegar ao seguinte. Sim, pode-se fazer a guerra neste mundo, macaquear o amor, torturar o semelhante, frequentar as colunas dos jornais ou, simplesmente, falar mal do vizinho enquanto se tricota. Mas, em certos casos, continuar, apenas continuar, eis o que é sobre-humano. E ele não era sobre-humano, pode acreditar. Gritou a sua agonia, e eis por que o amo, meu amigo, ele que morreu sem saber.

A desgraça é que nos deixou sós, para continuarmos, aconteça o que acontecer, mesmo quando nos aninhamos no desconforto, sabendo o que ele sabia, mas incapazes de fazer o que ele fez e de morrer como ele. Tentamos, naturalmente, socorrer-nos um pouco com sua morte. Afinal, era uma ideia genial dizer: "Não sois brilhantes, bem, é um fato. Ora, não entremos em pormenores. Terminemos com isto de uma vez, na cruz!" Mas muitos alçam-se, agora, à cruz, somente para serem vistos por nós de mais longe, ainda que para isso seja preciso espezinhar um pouco o que lá se encontra há tanto tempo. Demasiados decidiram deixar de lado a generosidade para praticar a caridade. Oh, a injustiça, a injustiça que lhe fizeram e que me aperta o coração!

É isso, volto à minha vocação, vou advogar. Desculpe-me, compreenda que tenho as minhas razões. Olhe, a poucos quarteirões daqui há um museu com o nome de Nosso Senhor no Sótão. Naquela época, tinham colocado as catacumbas nos sótãos. Era de esperar, aqui os subterrâneos são inundados. Mas, sossegue, hoje o Senhor deles não está mais no sótão, nem no porão. No íntimo de seus corações, eles o empoleiraram num Tribunal e o agridem, sobretudo julgam, julgam em seu nome. Ele dizia docemente à pecadora: "Eu também, eu não te condeno!", o que nada impede, eles condenam, não absolvem ninguém. Em nome do Senhor, esta é a tua pena. Senhor? Ele não pedia tanto, meu amigo. Ele queria que o amassem, nada mais. É bem verdade que há pessoas, mesmo entre os cristãos, que o amam. Mas são muito poucos. Ele havia previsto isso, aliás, tinha senso de humor. Pedro, como sabe, o covarde Pedro, portanto, o renega: "Não conheço este homem... Não sei o que queres dizer..." etc. Realmente, ele exagerava! E faz um jogo de palavras: "Sobre esta pedra edificarei minha Igreja."* Não se podia levar mais longe a ironia, não acha? Mas não,

---

* Pierre, em francês, é, ao mesmo tempo, Pedro e pedra. (*N. da T.*)

eles ainda triunfam! "Como vocês veem, ele tinha dito!" Ele tinha dito, de fato, ele conhecia bem a questão. E, a seguir, partiu para sempre, deixando-os julgar e condenar, com o perdão nos lábios e a sentença no coração.

Porque não se pode dizer que não há mais piedade, não, protesto com veemência, não cessamos de falar nela. Simplesmente, já não se absolve ninguém. Sobre a inocência morta, pululam os juízes, os juízes de todas as raças, os de Cristo e os do Anticristo, que são, aliás, os mesmos, reconciliados no desconforto. Isto porque não devemos atacar apenas os cristãos. Os outros também estão comprometidos. Sabe em que se transformou, nesta cidade, uma das casas que abrigou Descartes? Em asilo de alienados. Sim, é o delírio geral e a perseguição. Nós também, naturalmente, somos forçados a nos envolver. O senhor teve ocasião de notar que eu não poupo nada e, do seu lado, sei que pensa o mesmo. A partir daí, uma vez que somos todos juízes, somos todos culpados uns perante os outros, todos cristos à nossa maneira vil, crucificados um por um, e sempre sem saber. Poderíamos sê-lo pelo menos se eu, Clamence, não tivesse encontrado a saída, a única solução, a verdade, enfim...

Não, vou parar aqui, caro amigo, não receie! Aliás, devo deixá-lo, estamos diante de minha porta. Na solidão, com a ajuda do cansaço, o que se pode esperar, facilmente nos consideramos profetas. Afinal, é isso mesmo o que sou, refugiado num deserto de pedras, de brumas e de águas pútridas, profeta vazio para tempos medíocres, Elias sem Messias, cheio de febre e de álcool, encostado nesta porta bolorenta, de dedo erguido para um céu baixo, cobrindo de imprecações homens sem lei, que não conseguem suportar nenhum julgamento. Pois eles não o conseguem suportar, meu caro, e esse é o problema. Quem adere a uma lei, não teme o julgamento que o recoloca em uma ordem na qual crê. Mas o mais alto dos tormentos humanos é ser julgado sem lei. Nós vivemos, porém, neste tormento. Privados de seu freio natural, os juízes, soltos ao acaso, servem-se à vontade. Então, não acha que é realmente preciso tentar andar mais rápido do que eles? E começa a grande confusão. Os profetas e os curandeiros multiplicam-se, apressam-se para chegar a uma lei certa ou a uma organização impecável, antes que a terra fique deserta. Felizmente, eu consegui! Eu sou o fim e o começo, eu anuncio a lei. Em suma, sou juiz-penitente.

Sim, sim, eu lhe direi amanhã; em que consiste este belo ofício. O senhor parte depois de amanhã; estamos, pois, com pressa. Venha a minha casa, por favor, e toque a campainha três vezes. Volta para Paris? Paris é longe, Paris é bela, eu não a esqueci. Lembro-me dos seus crepúsculos, nesta mesma época, mais ou menos. A noite desce, seca e crepitante sobre os telhados azulados pela fumaça, a cidade murmura surdamente, o rio parece refluir no seu curso. Eu vagava, então, pelas ruas. Eles também vagam agora, eu sei! Vagam, fingindo apressarem-se para chegar à mulher cansada, à casa severa... Ah, meu amigo, sabe o que é a criatura solitária, vagando pelas grandes cidades?...

Sinto-me sem jeito ao recebê-lo de cama. Não é nada, um pouco de febre, que trato com genebra. Estou habituado a estes acessos. Malária, eu creio, que contraí no tempo em que era papa. Não, não é de todo uma brincadeira. Sei o que está pensando: é muito difícil distinguir o verdadeiro do falso no que conto. Confesso que tem razão. Eu mesmo... Olhe, uma pessoa de meu conhecimento dividia os seres em três categorias: os que preferem não ter nada que esconder a serem obrigados a mentir; os que preferem mentir a não ter nada a esconder, e, finalmente, os que amam ao mesmo tempo a mentira e o segredo. Deixo à escolha a classificação que melhor me convém.

Que importa, afinal? As mentiras não conduzem finalmente ao caminho da verdade? E minhas histórias, verdadeiras ou falsas, não tendem todas para o mesmo fim, não têm o mesmo sentido? Que importa, então, que sejam verdadeiras ou falsas se, em ambos os casos, são representativas do que fui e do que sou? Pode-se, às vezes, ver mais claro em quem mente do que em quem fala a verdade. A verdade, como a luz, cega. A mentira, ao contrário, é um belo crepúsculo, que valoriza cada objeto. Enfim, entenda como quiser, fui escolhido papa em um campo de concentração.

Sente-se, por favor. Está observando esta sala. Nua, é verdade, mas limpa. Um Vermeer, sem móveis nem panelas. E também sem livros, deixei de ler há muito tempo. Antigamente, minha casa estava cheia de livros lidos pela metade. É tão repugnante quanto essas pessoas que apenas beliscam um *foie gras* e mandam jogar fora o resto. Aliás, agora só gosto de confissões, e os autores de confissões escrevem sobretudo para não se confessar, para nada dizer do que sabem. Quando pretendem confessar, é o momento de desconfiar, vai-se maquilar o cadáver. Acredite, sou um ourives. Então, disse — basta! Nada de livros, nem mesmo objetos inúteis, o estritamente necessário, simples e polido como um caixão. Aliás, nestas camas holandesas, tão duras, com lençóis imaculados, morre-se já em uma mortalha, embalsamados de pureza.

Tem curiosidade de conhecer minhas aventuras pontificais? Só banalidades, sabe. Será que terei forças para lhe contar? Sim, parece que a febre está baixando. Já faz tanto tempo que aconteceu. Era na África, onde, graças ao senhor Rommel, ardia a guerra. Eu nada tinha a ver, não, sossegue. Já tinha fugido à guerra da Europa. Fui convocado, é verdade, mas nunca estive na linha de frente. Em certo sentido, eu o lamento. Talvez isso tivesse mudado muitas coisas? O exército francês não precisou de mim na frente de batalha. Pediu-me, apenas, que participasse da retirada. Voltei então a ver Paris, e os alemães. Fui seduzido pela Resistência, de que se começava a falar, mais ou menos quando descobri que era patriota. Sorri? Não tem razão. Fiz a minha descoberta nos corredores do metrô, na estação de Châtelet. Um cachorro se perdera no labirinto. Grande, de pelo eriçado, uma orelha caída, os olhos interessados, vagava e farejava as canelas que passavam. Gosto de cachorros com uma muito antiga e muito fiel ternura. Gosto deles porque sempre perdoam. Chamei este, que hesitou, visivelmente conquistado, agitando o traseiro com entusiasmo, alguns metros à minha frente. Neste momento, um jovem soldado alemão, que caminhava alegremente, me ultrapassou. Ao chegar diante do cachorro, afagou-lhe a cabeça. Sem hesitar, o animal seguiu no seu encalço, com o mesmo entusiasmo, e com ele desapareceu. Pelo despeito e pelo tipo de raiva que senti contra o soldado alemão, tive que reconhecer que minha reação era patriótica. Se o cachorro tivesse seguido um civil francês, nem sequer teria pensado nisso. Pensava ao contrário, nesse simpático animal, transformado em mascote de um regimento alemão, e isso enchia-me de fúria. O teste era, assim, convincente.

Dirigi-me para o setor sul, com a intenção de me informar sobre a Resistência. Mas uma vez lá chegado, e informado, hesitei. O empreendimento me parecia um tanto louco e, a bem da verdade, romântico. Sobretudo creio que a ação subterrânea não se adaptava nem a meu temperamento, nem a meu gosto pelos cimos arejados. Parecia que me pediam para tecer uma tapeçaria em um abrigo, durante dias e noites, à espera de uns brutamontes que viessem me desalojar, para primeiro desfazer a minha tapeçaria e em seguida me arrastar para um outro subterrâneo, e aí me espancarem até a morte. Eu admirava os que se entregavam a este heroísmo das profundezas, mas não conseguia imitá-los.

Passei, então, para a África do Norte, com a vaga intenção de chegar a Londres. Mas, na África, a situação não era clara, os partidos em oposição me pareciam ter igualmente razão, e me abstive. Vejo pela sua expressão que estou passando muito por alto, a seu ver, sobre estes pormenores que fazem sentido. Pois bem, digamos que, depois de ter julgado o senhor à luz de seu verdadeiro valor, eu passe rapidamente por estes detalhes para que os perceba melhor. O certo é que cheguei finalmente à Tunísia, onde uma doce amiga me garantiu um trabalho. Esta amiga era uma criatura muito inteligente, que trabalhava com cinema. Seguia-a até Túnis, e só conheci sua verdadeira atividade nos dias que se seguiram ao desembarque dos Aliados na Argélia. Ela foi presa nesse dia pelos alemães, e eu também, sem tê-lo desejado. Não sei o que foi feito dela. Quanto a mim, não me causaram qualquer mal e compreendi, depois de profundas angústias, que se tratava, sobretudo, de uma medida de segurança. Fui internado perto de Trípoli, em um campo onde se sofria mais de sede e de penúria que de maus-tratos. Nem vou descrevê-lo. Nós, filhos da metade do século, não temos necessidade de desenhos para imaginar esta espécie de lugares. Há cento e cinquenta anos, nos comovíamos com os lagos e as florestas. Hoje, temos o lirismo celular. Portanto, confio no senhor. Deverá acrescentar apenas alguns pormenores: o calor, o sol a pino, as moscas, a areia, a falta de água.

Estava comigo um jovem francês, que tinha fé. Sim! É um conto de fadas, sem dúvida. Do tipo Duguesclin, sabe. Havia passado da França para a Espanha, para lutar.

O general católico o havia internado, e, ao ver que, nos campos franquistas, os carolas recebiam, se assim posso me expressar, a bênção de Roma, caíra em profunda tristeza. Nem o céu da África, onde havia ido parar em seguida, nem os lazeres do campo o haviam arrancado desta tristeza. Mas suas reflexões, e também o sol, haviam feito com que saísse um pouco do seu estado normal. Um dia, em que, dentro de uma tenda fervilhante como chumbo derretido, a dezena de homens que éramos ofegava em meio às moscas, ele renovou as suas invectivas contra aquele que chamava de o Romano. Olhava-nos com um ar perdido, com sua barba de vários dias. Seu peito nu estava coberto de suor, as mãos tamborilavam no teclado visível das costelas. Anunciava-nos que era preciso um novo papa que vivesse entre os infelizes, em vez de rezar sentado sobre um trono e, quanto mais depressa, melhor. Fixava-nos com seu olhar perdido, balançando a cabeça. "Sim", repetia, "o mais depressa possível!" A seguir, acalmou-se de repente e, com uma voz morna, disse que era preciso escolher um, dentre nós, um homem completo, com seus defeitos e suas virtudes, e jurar-lhe obediência, com a única condição de aceitar manter viva, nele e nos outros, a comunidade dos nossos sofrimentos.

"Quem, dentre nós", disse, "tem mais fraquezas?" Por brincadeira, levantei o dedo, e fui o único a fazê-lo. "Bem, Jean-Baptiste serve." Não, ele não disse isso, já que então eu tinha outro nome. Pelo menos, declarou que candidatar-se, como eu fizera, pressupunha também a maior virtude, e propôs a minha eleição. Os outros concordaram, como se fosse um jogo, embora com certa seriedade. A verdade é que Duguesclin nos havia impressionado. Eu próprio tenho a impressão de que não ria à vontade. Achei, primeiro, que meu pequeno profeta tinha razão, e depois havia o sol, os trabalhos extenuantes, a batalha pela água, em suma, estávamos como peixes fora d'água. A verdade é que exerci meu pontificado durante várias semanas, cada vez com maior seriedade.

Em que consistia? Meu Deus, eu era alguma coisa entre chefe de grupo e secretário de célula. De qualquer maneira, os outros, e mesmo os que não tinham fé, acostumaram-se a me obedecer. Duguesclin sofria; eu ministrava seu sofrimento. Dei-me conta, então, de que ser papa não era tão fácil como se julgava, e lembrei-me disso ainda ontem, depois de lhe ter feito tantos discursos menosprezando os juízes, nossos irmãos. O grande problema, no campo, era a distribuição de água. Tinham-se formado outros grupos, políticos e religiosos, e cada um favorecia seus colegas. Fui, assim, levado a favorecer os meus, o que já era uma pequena concessão. Mesmo entre nós, não consegui manter uma igualdade perfeita. Segundo o estado dos meus colegas, ou os trabalhos que tinham a fazer, eu beneficiava este ou aquele. Estas distinções conduzem longe, acredite. Mas, decididamente, estou cansado, e não sinto mais vontade de pensar naquele tempo. Digamos que completei o circuito no dia em que bebi a água de um colega agonizante. Não, não, não era Duguesclin, ele já tinha morrido, creio eu, ele se privava demais. E, depois, se estivesse lá, por amor a ele, eu teria resistido mais tempo, porque o amava, sim, amava-o, pelo menos é o que me parece. Mas bebi a água, isso é verdade, persuadindo-me de que os outros tinham necessidade de mim, mais do que daquele que, de toda maneira, ia morrer, e que eu devia me preservar para eles. É assim, meu caro, que nascem os impérios e as igrejas, sob o sol da morte. E para corrigir um pouco meus discursos de ontem, vou contar-lhe a grande ideia que me surgiu ao falar de tudo isto, que já nem sei mais se vivi ou sonhei. Minha grande ideia é que é preciso perdoar o papa. Primeiro, ele precisa disso mais do que ninguém. E depois, é a única maneira de nos colocarmos acima dele...

Ei! Fechou bem a porta? Mesmo? Verifique, por favor. Desculpe, tenho o complexo do trinco. No momento de dormir, nunca consigo saber se fechei o trinco. Todas as noites, tenho de me levantar para verificar. Não se tem certeza de nada, já lhe disse. Não pense que esta preocupação com o trinco seja em mim uma reação de proprietário atemorizado. Antigamente, eu não fechava a chave meu apartamento, nem meu carro. Não resguardava meu dinheiro, não me apegava ao que possuía. Para dizer a verdade, tinha um pouco de vergonha de possuir. E não é que acontecia, nos meus discursos mundanos, de exclamar com convicção: "A propriedade, senhores, é o assassinato!" Não tendo um coração bastante grande para repartir minhas riquezas com um pobre que bem o merecesse, eu as deixava à disposição de ladrões eventuais, na esperança de assim corrigir a injustiça pelo acaso. Hoje em dia, aliás, nada possuo. Não me preocupo, assim, com minha segurança, mas comigo mesmo e com a minha presença de espírito. Faço questão, também, de condenar a porta do pequeno universo bem fechado, do qual sou o rei, o papa e o juiz.

A propósito, queira abrir esse armário, por favor. Este quadro, sim, olhe para ele. Não o reconhece? São *Os Juízes Íntegros*. Não está espantado? Sua cultura teria lacunas, então? Se lia jornais, no entanto, lembra-se do roubo, em 1934, em Gand, na catedral de Saint-Bavon, de um dos painéis do famoso retábulo de Van Eyck, *O Cordeiro Místico*. Esse painel se chamava *Os Juízes Íntegros*. Representava juízes a cavalo, que vinham adorar o animal sagrado. Substituíram-no por uma cópia excelente, porque o original nunca foi encontrado. Pois bem, aqui está ele. Não, não tenho nada a ver com isso. Um assíduo frequentador do Mexico-City, que o senhor viu de relance na outra noite, vendeu-o por uma garrafa ao gorila, em uma noite de bebedeira. Primeiro, aconselhei nosso amigo a pendurá-lo num bom lugar e por muito tempo, enquanto o procuravam no mundo inteiro, nossos devotos juízes pontificaram no Mexico-City, acima dos bêbados e dos proxenetas. Depois, o gorila, a meu pedido, deixou-o aqui, em consignação. Relutou um pouco em fazê-lo, mas ficou com medo quando lhe expliquei o assunto. Desde então, esses estimados magistrados são minha única companhia. Lá, acima do balcão, o senhor viu que vazio eles deixaram.

Por que não restituí o painel? Ah! Ah! O meu amigo tem reflexos de polícia! Pois bem, vou responder-lhe como o faria ao juiz de instrução criminal, se por acaso alguém pudesse, enfim, se dar conta de que este quadro acabou no meu quarto. Primeiro, porque não é meu, mas do dono do Mexico-City, que o merece tanto quanto o bispo de Gand. Em segundo lugar, porque, dentre os que desfilam diante do *Cordeiro Místico*, ninguém saberia distinguir a cópia do original, e que, em consequência, ninguém foi lesado por minha culpa. Em terceiro lugar, porque, desta maneira, eu domino. Juízes falsos são expostos à admiração do mundo e eu sou o único a conhecer os verdadeiros. Em quarto lugar, porque tenho, assim, uma possibilidade de ser mandado para a prisão, ideia sedutora, de certo modo. Em quinto lugar, porque estes juízes vão ao encontro do Cordeiro, e não há cordeiro, nem inocência, e que, em consequência, o hábil gatuno que roubou o painel era um instrumento da justiça desconhecida, que convém não contrariar. Enfim, porque, desta maneira, estamos dentro da ordem. Uma vez a justiça definitivamente separada da inocência, esta na cruz, aquela no armário, tenho o campo livre para trabalhar segundo minhas convicções. Posso exercer, com a consciência tranquila, a difícil profissão de juiz-penitente em que me estabeleci depois de tantos dissabores e contradições, e é tempo, já que o senhor vai partir, de lhe dizer, enfim, em que consiste.

Permita-me, primeiro, que me endireite para respirar melhor. Oh! Como estou cansado! Tranque os meus juízes a chave. Obrigado. Essa profissão de juiz-penitente é a que exerço neste momento. Geralmente, meu escritório se situa no Mexico-City. Mas as grandes vocações se projetam para além do lugar de trabalho. Mesmo na cama, mesmo com febre, funciono. Esse ofício, aliás, não se exerce, respira-se a todo momento. Não pensa realmente que, durante cinco dias, eu lhe fiz discursos tão longos por mero prazer. Não, já falei demais para nada dizer, em outros tempos. Agora, meu discurso é orientado. É orientado, evidentemente, pela ideia de fazer calar os risos, de evitar pessoalmente o julgamento, se bem que não haja, aparentemente, saída alguma. O grande empecilho a evitar não será o de sermos nós os primeiros a nos condenar? É preciso, pois, começar a estender a condenação a todos, sem discriminação, para diluí-la desde já.

Nada de desculpas, nunca, para ninguém, eis meu princípio, de saída. Nego a boa intenção, o erro compreensível, o passo em falso, a circunstância atenuante. Comigo não se abençoa, não se distribui absolvição. Faz-se a conta, simplesmente, e depois: "Dá tanto. O senhor é um pervertido, um sátiro, um mitômano, um pederasta, um artista etc." Assim mesmo. Secamente. Em filosofia como em política, eu sou, portanto, a favor de qualquer teoria que recuse a inocência ao homem, e a favor de toda prática que o trate como culpado. Tem em mim, meu caro, um partidário esclarecido da servidão.

Sem ela, a bem dizer, não há solução definitiva. Logo compreendi isso. Antigamente, só tinha liberdade na boca. No café da manhã, eu a passava nas minhas torradas, mastigava-a durante todo o dia, levava ao mundo um hálito deliciosamente refrescado pela liberdade. Eu atirava esta palavra mestra a quem quer que me contradissesse, tinha-a colocado a serviço dos meus desejos e do meu poder. Murmurava-a na cama, ao ouvido adormecido das minhas companheiras, e era com a sua ajuda que eu me descartava delas. Eu a deixava escorregar... Oh, eu me excito e perco a noção de dimensão! Afinal, aconteceu de eu fazer da liberdade um uso mais desinteressado e até mesmo, avalie a minha ingenuidade, defendê-la duas ou três vezes, sem chegar, é bem verdade, a morrer por ela, mas correndo alguns riscos. É preciso me perdoar estas imprudências; eu não sabia o que estava fazendo. Não sabia que a liberdade não é uma recompensa, nem uma condecoração que se comemora com champanha. Nem, aliás, um presente, uma caixa de chocolates de dar água na boca. Oh, não, é um encargo, pelo contrário, e uma corrida de fundo, bem solitária, bem extenuante. Nada de champanha, nada de amigos que ergam sua taça, olhando-nos com ternura. Sozinhos numa sala sombria, sozinhos no banco dos réus, perante os juízes, e sozinhos para decidir perante nós mesmos ou perante o julgamento dos outros. No final de toda a liberdade, há uma sentença; eis por que a liberdade é pesada demais, sobretudo quando se sofre de febre, ou nos sentimos mal, ou não amamos ninguém.

Ah! Meu caro, para quem está só, sem Deus e sem senhor, o peso dos dias é terrível. É preciso, portanto, escolher um senhor, já que Deus não está mais em moda. Esta palavra, aliás, não tem mais sentido; não merece que nos arrisquemos a chocar alguém. Olhe, os nossos moralistas, tão sérios, amando o próximo e tudo, só os separa, em suma, do estado de cristão o fato de não pregarem nas igrejas. Que é que os impede, na sua opinião, de se converterem? O respeito, talvez, o respeito pelos homens, sim, o respeito humano. Não querem fazer escândalo, guardam para si os seus sentimentos. Conheci, assim, um romancista ateu que rezava todas as noites. Isso nada impedia: o que ele descarregava sobre Deus nos seus livros! Que pancadaria, como diria já nem sei quem! Um militante livre-pensador com quem me abri a esse respeito, ergueu, aliás sem má intenção, os braços ao céu: "Não está me contando nenhuma novidade", suspirava este apóstolo, "são todos assim." Segundo ele, oitenta por cento dos nossos escritores, se pudessem passar sem assinar, escreveriam e saudariam o nome de Deus. Mas eles assinam, na opinião dele, porque amam a si próprios, e não saúdam absolutamente nada, porque se detestam. Como não podem, da mesma forma, deixar de julgar, desforram-se, então, na moral. Em suma, têm o satanismo virtuoso. É uma época estranha, na verdade! Que há de espantoso, portanto, no fato de os espíritos se perturbarem, e um dos meus amigos, ateu enquanto irrepreensível marido, se converter ao tornar-se adúltero?

Ah! Os sonsos, atores, hipócritas, e ainda por cima tão comoventes! Acredite-me, todos o são, mesmo quando ateiam fogo no céu. Quer sejam ateus ou devotos, moscovitas ou bostonianos, são todos cristãos, de pai para filho. Mas precisamente, já não há pai, já não há regra! Somos livres, é preciso, então, se virar, e como, sobretudo, eles não querem liberdade, nem suas sentenças, pedem para ser repreendidos, inventam regras terríveis, correm para fazer fogueiras em substituição às igrejas. É como eu lhe digo, são uns Savonarolas. Mas só creem no pecado; na graça, nunca. Pensam nela, é bem verdade. A graça, eis o que eles querem, o sim, o abandono, a felicidade de ser e, quem sabe, porque eles também são sentimentais, o noivado, a moça em flor, o homem direito, a música. Eu, por exemplo, que não sou sentimental, quer saber com que sonhei? Com um amor total, de corpo e alma, dia e noite, em um abraço sem fim, de prazer e de exaltação, durante cinco anos seguidos e, depois disso, a morte. Ai de mim!

E então, não é assim, à falta de noivado ou do amor incessante, resta o casamento, brutal, com a força e o chicote. O essencial é que tudo se torne simples, como para a criança, que cada ato seja comandado, que o bem e o mal sejam designados de maneira arbitrária, portanto evidente. E eu estou de acordo com isso, por mais siciliano e javanês que seja, e além de tudo sem nada de cristão, se bem que tenha amizade pelo primeiro que me apareça. Mas, nas pontes de Paris, eu também compreendi que tinha medo da liberdade. Viva, pois, o senhor, qualquer que ele seja, para substituir a lei do céu. "Pai nosso, que estais provisoriamente aqui... Nossos guias, nossos chefes deliciosamente severos, ó condutores cruéis e bem-amados..." Enfim, como vê, o essencial é não mais ser livre e obedecer, no arrependimento, a quem for mais malandro do que nós. Quando formos todos culpados, será a democracia. Sem contar, caro amigo, que é preciso nos vingarmos de ter de morrer sozinhos. A morte é solitária, ao passo que a servidão é coletiva. Os outros também têm a sua conta, e ao mesmo tempo que nós, eis o que importa. Todos reunidos, enfim, mas de joelhos e de cabeça baixa.

Não será igualmente bom viver à semelhança da sociedade e para isso não será necessário que a sociedade se assemelhe a mim? A ameaça, a desonra, a polícia são os sacramentos desta semelhança. Desprezado, perseguido, forçado, posso então dar a plena medida de mim mesmo, gozar o que sou, ser, enfim, natural. Eis por que, meu caro, depois de ter saudado solenemente a liberdade, decidi às escondidas que era preciso passá-la sem demora a quem quer que fosse. E todas as vezes que me é possível, eu prego na minha igreja de Mexico-City, convido a boa gente a submeter-se e a solicitar humildemente os confortos da servidão, chegando até a apresentá-la como a verdadeira liberdade.

Mas não estou louco, eu me dou conta muito bem de que a escravidão não é para já. Será um dos benefícios do futuro, eis tudo. Até lá, tenho de me contentar com o presente e buscar uma solução, mesmo provisória. Tive, pois, de encontrar outro meio de estender o julgamento a todo mundo, para torná-lo mais leve aos meus próprios ombros. Encontrei esse meio. Abra um pouco a janela, eu lhe peço, está fazendo um calor insuportável. Não muito, porque também estou com frio. A minha ideia é, ao mesmo tempo, simples e fecunda. De que maneira empurrar todo mundo para um banho comum, a fim de termos sozinhos o direito de secar ao sol? Iria eu subir ao púlpito, como muitos dos meus ilustres contemporâneos, e amaldiçoar a humanidade? Muito perigoso, isso! Um dia, ou uma noite, o riso explode sem dar aviso. O julgamento que fazemos dos outros acaba por nos atingir em plena face, deixando algumas marcas. E então, perguntará? Pois bem, eis a brilhante ideia. Descobri que, enquanto esperamos a vinda dos senhores e seus bastões, devíamos, como Copérnico, inverter o raciocínio para triunfar. Já que não podíamos condenar os outros sem imediatamente nos julgarmos, era preciso nos humilharmos para ter o direito de julgar os outros. Já que todo juiz acaba um dia por ser penitente, era preciso enveredar em sentido inverso e exercer o ofício de penitente, para poder acabar como juiz. Está me acompanhando? Bom. Mas, para ser ainda mais claro, vou dizer-lhe como trabalho.

Primeiramente, fechei o meu escritório de advocacia, deixei Paris, viajei; procurei estabelecer-me sob outro nome em algum lugar onde não me faltasse trabalho. Há muitos no mundo, mas o acaso, a comodidade, a ironia e, também, a necessidade de uma certa mortificação, fizeram-me escolher uma capital de água e de bruma, espremida entre canais, particularmente atravancada, e visitada por homens vindos do mundo inteiro. Montei o meu escritório em um bar do bairro dos marinheiros. A clientela dos portos é diversificada. Os pobres não vão para os bairros de luxo, ao passo que as pessoas de sociedade acabam sempre por cair uma vez, pelo menos, como pôde observar, nos lugares de má fama. Fico à espreita, particularmente, do burguês, e do burguês que se extravia; é com ele que eu atinjo o meu pleno rendimento. Dele extraio, como virtuose, os acentos mais refinados.

Exerço, pois, no Mexico-City, há algum tempo, a minha útil profissão. Esta consiste, em primeiro lugar, como o senhor já viu por experiência própria, em praticar a confissão pública com a maior frequência possível. Acuso-me de alto a baixo. Não é difícil, agora já tenho memória. Mas, cuidado, não me acuso grosseiramente, batendo com força no peito. Não, navego com jeito, multiplico as sutilezas, as digressões também, adapto, enfim, o meu discurso ao ouvinte, conduzo este último a pedir mais alto. Misturo o que me diz respeito e o que se refere aos outros. Pego os traços comuns, as experiências que sofremos juntos, as fraquezas que partilhamos, o bom-tom, o homem do dia, enfim, tal como se manifesta em mim e nos outros. Com isso, monto um retrato que é o de todos e o de ninguém. Uma máscara, em suma, bastante semelhante às do carnaval, ao mesmo tempo fiéis e simplificadas, e diante das quais nos dizemos: "Olhe, aquele, eu já o vi antes." Quando o retrato está terminado, como nesta noite, mostro-o, cheio de desolação: "Aqui está, ai de mim, o que sou. O requisitório acabou. Mas, ao mesmo tempo, o retrato que eu apresento aos meus contemporâneos torna-se um espelho."

Coberto de cinzas, arrancando lentamente os cabelos, o rosto arado pelas unhas, mas com o olhar penetrante, mantenho-me ante a humanidade inteira, recapitulando as minhas vergonhas, sem perder de vista o efeito que produzo, e dizendo: "Eu era o último dos últimos." Então, insensivelmente, passo, no meu discurso, do "eu" ao "nós". Quando chego ao "eis o que nós somos" a sorte está lançada, posso dizer-lhes as suas verdades. Sou como eles, é certo, estamos no mesmo barco. Tenho, no entanto, uma superioridade, a de sabê-lo, o que me dá o direito de falar. O senhor vê a vantagem, disto tenho certeza. Quanto mais me acuso, mais tenho o direito de julgar os outros. Melhor, provoco as pessoas no sentido de julgarem a si próprias, o que me consola igualmente. Ah, meu caro, nós somos estranhas, miseráveis criaturas e, por pouco que nos debrucemos sobre nossas vidas, não faltam ocasiões para nos espantarmos e nos escandalizarmos a nós mesmos. Experimente. Ouvirei, pode ficar certo, a sua própria confissão, com um grande sentimento de fraternidade.

Não ria! Sim, o senhor é um cliente difícil, eu o vi desde o primeiro relance. Mas chegará lá, é inevitável. A maior parte dos outros é mais sentimental que inteligente; nós os desorientamos imediatamente. Com os inteligentes, é preciso tempo. Basta explicar-lhes o método a fundo. Não o esquecem, eles refletem. Um dia ou outro, um pouco por brincadeira, um pouco por confusão, eles se denunciam. O senhor, sim, o senhor não é apenas inteligente, tem um ar vivido. Confesse, no entanto, que se sente hoje menos contente consigo mesmo do que há cinco dias? Esperarei, agora, que me escreva ou que volte. Porque o senhor vai voltar, disto estou certo! Encontrar-me-á na mesma. E por que haveria eu de mudar, já que encontrei a felicidade que me convém?

Aceitei a duplicidade, em vez de ficar desolado com ela. Nela me instalei, pelo contrário, e nela achei o conforto que busquei durante toda a minha vida. No fundo, errei ao dizer-lhe que o essencial era evitar o julgamento. O essencial é poder permitir-se tudo, mesmo se for preciso proclamar, de vez em quando, em altos brados, a própria indignidade. Permito-me tudo, de novo, e sem rir, desta vez. Não mudei de vida, continuo a amar-me e a me servir dos outros. Só que a confissão das minhas culpas permite-me recomeçar de uma maneira mais leve e gozar duplamente, primeiro a minha natureza e, em seguida, um encantador arrependimento.

Desde que encontrei a minha solução, abandono-me a tudo, às mulheres, ao orgulho, ao tédio, ao ressentimento, e até a febre que, com deleite, sinto subir neste momento. Impero, enfim, mas para sempre. Encontrei novamente um cimo, onde sou o único a escalar e de onde posso julgar todo mundo. Às vezes, raramente, quando a noite é verdadeiramente bela, ouço um riso longínquo e, novamente, duvido. Mas, rapidamente, esmago todas as coisas, criaturas e criação, sob o peso da minha própria enfermidade, e eis-me restabelecido.

Aguardarei, pois, os seus cumprimentos no Mexico-City, durante o tempo que for preciso. Mas tire este

cobertor, quero respirar. Virá, não é verdade? Mostrar-
-lhe-ei até os pormenores da minha técnica, pois sinto
pelo senhor uma espécie de afeição. Ver-me-á revelar-lhe,
durante noites inteiras, que são infames. A partir desta
noite, aliás, vou recomeçar. Não consigo deixar de fazê-
-lo, nem privar-me desses momentos em que um deles
desaba, com a ajuda do álcool, e bate no peito. Então eu
cresço, meu caro, eu cresço, respiro livremente, estou sobre
a montanha, a planície estende-se sob meus olhos. Que
embriaguez sentirmo-nos Deus-pai e distribuir atestados
definitivos de má conduta e maus costumes. Eu pontifico
entre os meus anjos vis, no alto do céu holandês, vejo
subir até mim, saindo das brumas e da água, a multidão
do Juízo Final. Elevam-se lentamente, já vejo chegar o
primeiro de todos. Sobre o seu rosto desvairado, meio
oculto por uma das mãos, leio a tristeza da condição
comum, e o desespero de não poder escapar dela. E
eu lamento sem absolver, compreendo sem perdoar e,
sobretudo, ah, sinto, enfim, que me adoram!

Sim, eu me agito, como poderia ficar placidamente
deitado? Preciso estar mais alto que o senhor, os meus
pensamentos me soerguem. Nessas noites, ou melhor,
nessas manhãs, pois a queda produz-se ao romper da au-
rora, eu saio, parto, numa marcha impetuosa, ao longo dos

canais. No céu lívido, as camadas de penas adelgaçam--se, as pombas sobem um pouco, uma claridade rósea anuncia, ao nível dos telhados, um novo dia da minha criação. No Damrak, o primeiro bonde faz tinir a sua campainha no ar úmido e toca a alvorada da vida na extremidade desta Europa, onde, no mesmo momento, centenas de milhões de homens, meus súditos, arrancam-se penosamente da cama, com a boca amarga, a fim de irem para um trabalho sem alegria. Então, planando em pensamento por cima de todo este continente que me é subordinado sem saber, bebendo a luz de absinto que se eleva, ébrio, enfim, de palavras más, sou feliz, sou feliz, estou lhe dizendo, proíbo-o de não acreditar que sou feliz, que morro de felicidade! Ah, sol, praias, e as ilhas sob os alísios, juventude cuja lembrança desespera!

Torno a me deitar, desculpe. Receio ter-me exaltado; não choro, contudo. Perdemo-nos, às vezes, duvidamos da evidência, mesmo quando descobrirmos o segredo de uma bela vida. A minha solução, com certeza, não é a ideal. Mas quando não amamos a nossa vida, quando sabemos que é preciso mudá-la, não temos escolha, não é? Que fazer para ser outra pessoa? Impossível. Seria preciso já não sermos ninguém, esquecermo-nos por alguém, uma vez pelo menos. Mas como? Não me confunda muito. Eu sou como aquele velho mendigo que não queria largar minha mão, um dia, no terraço de um café: "Ah, meu caro senhor", dizia ele, "não é que se seja mau, mas perde-se a luz." Sim, perdemos a luz, as manhãs, a santa inocência daquele que se perdoa a si mesmo.

Olhe, a neve está caindo! Oh, tenho de sair! Amsterdã adormecida na noite branca, os canais de jade sombrio debaixo das pequenas pontes cobertas de neve, as ruas desertas, meus passos abafados, será a pureza, fugidia, antes da lama de amanhã. Veja os enormes flocos que se desfazem contra as vidraças. São as pombas, certamente. Decidem-se, finalmente, a descer, as queridas, cobrem as águas e os telhados de uma espessa camada de penas, palpitam em todas as janelas. Que invasão! Esperemos que tragam a boa-nova. Todo mundo será salvo, e não apenas os eleitos, as riquezas e os sofrimentos serão repartidos, e o senhor, por exemplo, a partir de hoje, deitar-se-á todas as noites no chão, por mim. A gama toda, portanto! Vamos, confesse que ficaria atônito, se uma carruagem descesse do céu para me levar, ou se a neve de repente pegasse fogo. Não acredita? Eu também não. Mas, mesmo assim, preciso sair.

Bom, bom, fico sossegado, não se preocupe! Além disso, não confie muito nos meus enternecimentos, nem nos meus delírios. São dirigidos. Olhe, agora que o senhor vai me falar de si próprio, vou saber se uma das finalidades da minha apaixonante confissão foi atingida. Espero ainda, com efeito, que o meu interlocutor seja da polícia e me prenda pelo roubo dos *Juízes Íntegros*. Quanto ao resto, ninguém me pode prender, não acha? Mas no que se refere a este roubo, ele cai na alçada da lei e eu arranjei tudo para me tornar cúmplice; sirvo de receptador deste quadro e mostro-o a quem quiser vê-lo. O senhor me prenderia, portanto; seria um bom começo. Em seguida, talvez se ocupassem do resto, decapitar-me--iam, por exemplo, e eu não teria mais medo de morrer, estaria salvo. Acima do povo reunido, o senhor ergueria, então, a minha cabeça ainda fresca, para que eles nela se reconhecessem e para que eu de novo os dominasse, exemplar. Tudo estaria consumado, eu teria terminado, ninguém saberia que fim levei, a minha carreira de falso profeta que clama no deserto e se recusa a sair de lá.

Mas, é claro, o senhor não é da polícia, seria simples demais. Como? Ah, eu já suspeitava, veja bem. Esta estranha afeição que eu sentia pelo senhor fazia sentido, portanto. O senhor exerce em Paris a bela profissão de advogado! Eu bem sabia que éramos da mesma raça. Não somos todos semelhantes, falando sem cessar e para ninguém, sempre confrontados pelas mesmas perguntas, embora conheçamos de antemão as respostas? Conte-me, então, eu lhe peço, o que lhe aconteceu uma noite nos cais do Sena e como conseguiu nunca mais arriscar a vida. Pronuncie o senhor mesmo as palavras que, há anos, não pararam de ressoar nas minhas noites e que eu direi, enfim, pela sua boca: "ó jovem, atire-se de novo na água, para que eu tenha, pela segunda vez, a oportunidade de nos salvar a ambos!" Pela segunda vez, hem, que imprudência! Imagine, caro colega, que nos levem ao pé da letra? Seria preciso cumprir. *Brr...!* A água está tão fria! Mas tranquilizemo-nos! É tarde demais, agora, será sempre tarde demais. Felizmente!

Este livro foi composto na tipografia
Adobe Caslon Pro, em corpo 11/15,5,
e impresso em papel Pólen Bold 90g/m² na Gráfica Leograf.

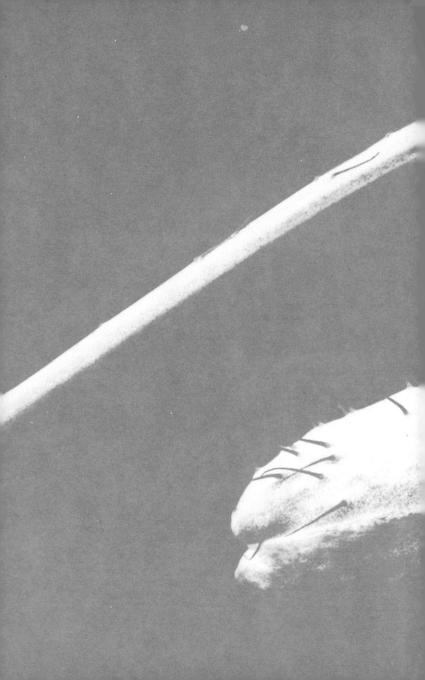